T A C

究[illegible]

仕訳集

日商簿記

2級

TAC簿記検定講座
編著

はじめに

「簿記といえば仕訳」というくらい、簿記を学習するうえで仕訳は重要なものです。また、2021年度からの新たな試験方式に伴い、第１問と第４問の合計で仕訳の配点が32点となり、より重要度が増しています。

そこで本書は、仕訳を効率的にマスターしていただくことを目的として、日商２級で出題される基本仕訳を商業簿記220問、工業簿記34問にまとめ、仕訳をつくる際の考え方に重点をおいた解説をつけました。

また、重要度の高い仕訳から習得していただけるよう、重要度を２段階（ＡランクとＢランク）で示しています。

さらに、実際の出題形式に慣れていただくため、本試験演習編では、第１問対策～第３問対策、第４問⑴対策として、実際の試験問題と同レベルの問題およびその解説も収載しました。

したがって、本書の活用により、日商２級の仕訳を効率的・効果的にマスターしていただくことができると確信しています。

通勤・通学の電車内や家事の合間など、ちょっとした時間に本書を開き、仕訳をマスターして、日商簿記検定試験に合格されることを心から願っております。

ＴＡＣ簿記検定講座

本書は、『究極の仕訳集 日商簿記２級　第７版』につき、「収益認識に関する会計基準」の適用および最近の出題傾向等にもとづき、改訂を行ったものです。

本書の使い方

本書は、日商簿記検定に出題される基礎的な仕訳をまとめた「基本仕訳編」と、本試験で出題される仕訳問題をまとめた「本試験演習編」に分かれています。なお、本書では特別の指定がない限り、商品売買の記帳方法は「三分法」を前提としています。

基本仕訳編

日商簿記検定2級で出題される仕訳をカンタンな設例により確認できるようになっています。苦手な箇所がなくなるまで、繰り返し演習してください。

左ページ：問題

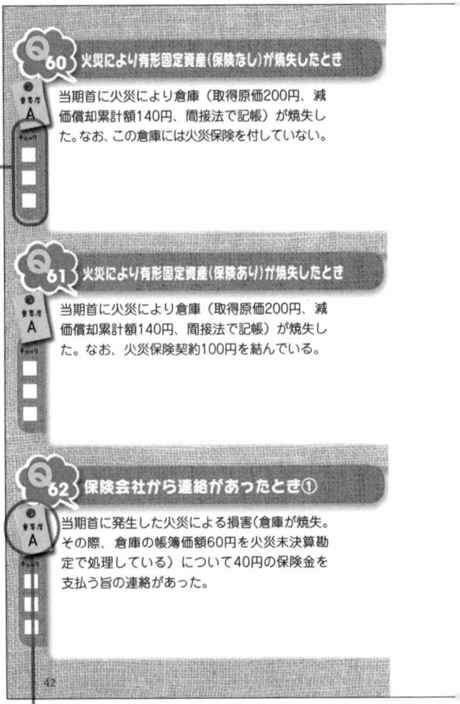

Q60 火災により有形固定資産(保険なし)が焼失したとき

重要度 A

チェック

当期首に火災により倉庫（取得原価200円、減価償却累計額140円、間接法で記帳）が焼失した。なお、この倉庫には火災保険を付していない。

Q61 火災により有形固定資産(保険あり)が焼失したとき

重要度 A

チェック

当期首に火災により倉庫（取得原価200円、減価償却累計額140円、間接法で記帳）が焼失した。なお、火災保険契約100円を結んでいる。

Q62 保険会社から連絡があったとき①

重要度 A

チェック

当期首に発生した火災による損害(倉庫が焼失。その際、倉庫の帳簿価額60円を火災未決算勘定で処理している）について40円の保険金を支払う旨の連絡があった。

42

チェック欄
できなかった問題は何度も繰り返して、本試験までに知識の定着をはかってください。

重要度
まずはAランクを完全にマスターしましょう。

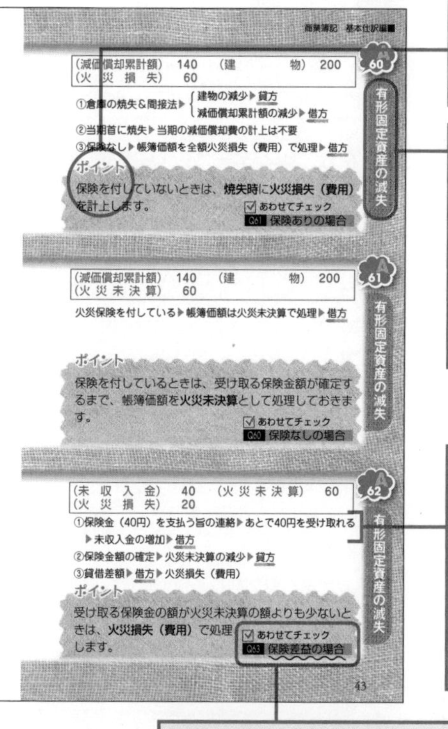
商業簿記　基本仕訳編

A60 有形固定資産の減失

(減価償却累計額)	140	(建　　物)	200
(火 災 損 失)	60		

①倉庫の焼失＆間接法▶ { 建物の減少▶貸方 / 減価償却累計額の減少▶借方 }
②当期首に焼失▶当期の減価償却費の計上は不要
③保険なし▶帳簿価額を全額火災損失（費用）で処理▶借方

ポイント
保険を付していないときは、**焼失時に火災損失（費用）**を計上します。

☑あわせてチェック
Q61 保険ありの場合

A61 有形固定資産の減失

(減価償却累計額)	140	(建　　物)	200
(火 災 未 決 算)	60		

火災保険を付している▶帳簿価額は火災未決算で処理▶借方

ポイント
保険を付しているときは、受け取る保険金額が確定するまで、帳簿価額を**火災未決算**として処理しておきます。

☑あわせてチェック
Q60 保険なしの場合

A62 有形固定資産の減失

(未 収 入 金)	40	(火 災 未 決 算)	60
(火 災 損 失)	20		

①保険金（40円）を支払う旨の連絡▶あとで40円を受け取れる▶未収入金の増加▶借方
②保険金額の確定▶火災未決算の減少▶貸方
③貸借差額▶借方▶火災損失（費用）

ポイント
受け取る保険金の額が火災未決算の額よりも少ないときは、**火災損失（費用）**で処理します。

☑あわせてチェック
Q63 保険差益の場合

43

ポイント解説
間違えやすいところや覚えておきたいポイントを示しています。

論点名
論点名を右側にまとめることで、探しやすくしてあります。苦手な論点だけをピックアップして重点的に学習することができます。

仕訳の思考回路（解説）
仕訳作成の思考プロセスをトレースした一読明快な解説です。必要に応じて計算式も入れています。

あわせてチェック
混乱しやすい仕訳はあわせて確認することで、知識を確かなものにしておきましょう。問題番号の横には演習にあたり、意識したいポイント（〰〰 部分）を示しています。

本試験演習編

本試験レベルの仕訳問題を第1問～第3問、第4問から本試験形式（全部または一部）でピックアップしました。基本仕訳編で身につけた知識をフル活用してチャレンジしてみてください。

左ページ：問題

第1問対策

本試験の第1問で出題される勘定科目指定の仕訳問題です。

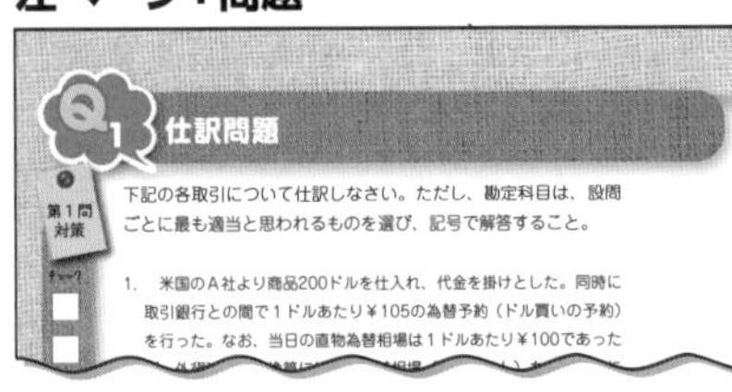
Q1 仕訳問題

第1問対策

チェック

下記の各取引について仕訳しなさい。ただし、勘定科目は、設問ごとに最も適当と思われるものを選び、記号で解答すること。

1. 米国のA社より商品200ドルを仕入れ、代金を掛けとした。同時に取引銀行との間で1ドルあたり¥105の為替予約（ドル買いの予約）を行った。なお、当日の直物為替相場は1ドルあたり¥100であった

第2問対策

本試験の第2問で出題される「連結会計」の仕訳問題です。

Q1 支配獲得日の連結（投資と資本の相殺）

第2問対策

チェック

P社は、×1年3月31日にS社株式の60%を¥3,000で取得し、支配を獲得した。次の資料にもとづき、連結×1年度（×1年4月1日から×2年3月31日）における投資と資本の相殺消去に関する連結修正仕訳を示しなさい。

【資　料】

株主資本等変動計算書

自×1年4月1日　至×2年3月31日　（単位：円）

	株主資本		

第3問対策

本試験の第3問で出題される「決算整理仕訳」「本支店会計」の問題です。

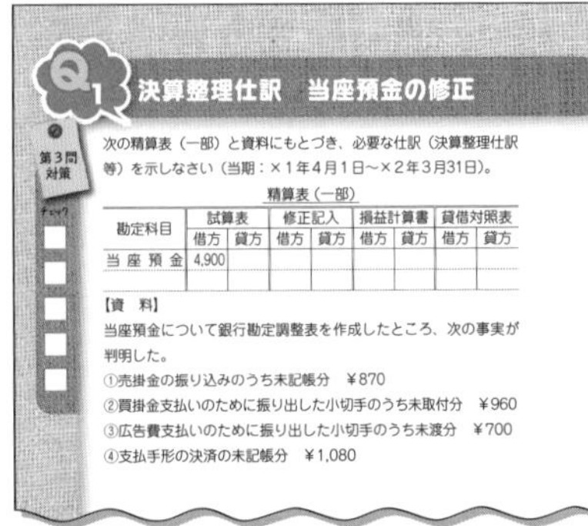
Q1 決算整理仕訳　当座預金の修正

第3問対策

チェック

次の精算表（一部）と資料にもとづき、必要な仕訳（決算整理仕訳等）を示しなさい（当期：×1年4月1日～×2年3月31日）。

精算表（一部）

勘定科目	試算表		修正記入		損益計算書		貸借対照表	
	借方	貸方	借方	貸方	借方	貸方	借方	貸方
当座預金	4,900							

【資　料】

当座預金について銀行勘定調整表を作成したところ、次の事実が判明した。

①売掛金の振り込みのうち未記帳分　¥870

②買掛金支払いのために振り出した小切手のうち未取付分　¥960

③広告費支払いのために振り出した小切手のうち未渡分　¥700

④支払手形の決済の未記帳分　¥1,080

第4問対策

本試験の第4問で出題される工業簿記の仕訳問題です。

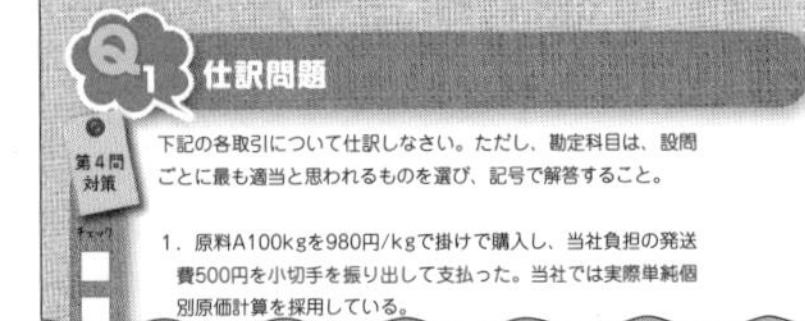
Q1 仕訳問題

第4問対策

チェック

下記の各取引について仕訳しなさい。ただし、勘定科目は、設問ごとに最も適当と思われるものを選び、記号で解答すること。

1．原料A100kgを980円/kgで掛けで購入し、当社負担の発送費500円を小切手を振り出して支払った。当社では実際単純個別原価計算を採用している。

右ページ：解答

商業簿記　本試験演習編■

A 1　第1問対策

	借方科目	金　額	貸方科目	金　額
1	(ア)仕　入	21,000	(エ)買　掛　金	21,000*1
2	(ア)建　物	2,000,000 貸方合計	(オ)当座預金 (エ)建設仮勘定	800,000 1,200,000
3	(ウ)売　掛　金 (ア)売上原価	200,000 160,000	(キ)売　上 (カ)商　品	200,000 160,000
4	(エ)未収入金 (ウ)火災損失	250,000 50,000	(ア)未　決　算	300,000

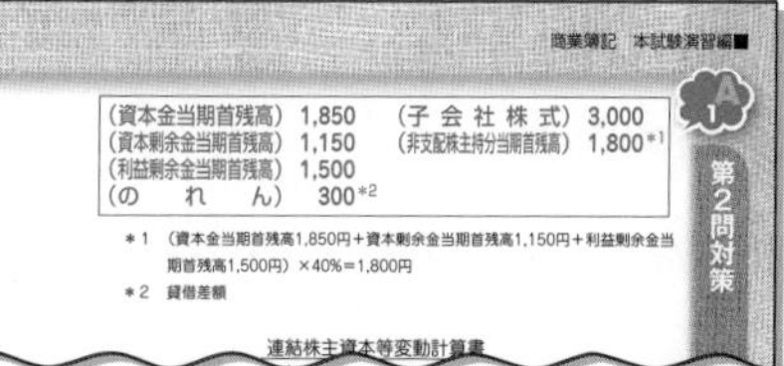

商業簿記　本試験演習編■

A 1　第2問対策

(資本金当期首残高)	1,850	(子会社株式)	3,000
(資本剰余金当期首残高)	1,150	(非支配株主持分当期首残高)	1,800*1
(利益剰余金当期首残高)	1,500		
(の　れ　ん)	300*2		

＊1　(資本金当期首残高1,850円＋資本剰余金当期首残高1,150円＋利益剰余金当期首残高1,500円)×40%＝1,800円

＊2　貸借差額

連結株主資本等変動計算書

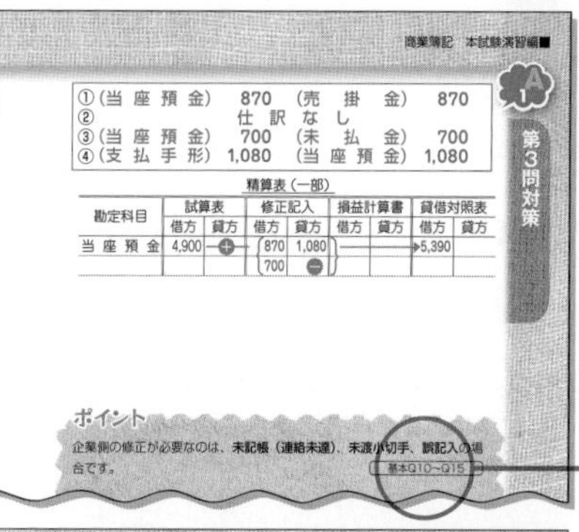

商業簿記　本試験演習編■

A 1　第3問対策

①	(当座預金)	870	(売　掛　金)	870
②		仕訳なし		
③	(当座預金)	700	(未　払　金)	700
④	(支払手形)	1,080	(当座預金)	1,080

精算表（一部）

勘定科目	試算表 借方	試算表 貸方	修正記入 借方	修正記入 貸方	損益計算書 借方	損益計算書 貸方	貸借対照表 借方	貸借対照表 貸方
当座預金	4,900		870 700	1,080			5,390	

ポイント

企業側の修正が必要なのは、未記帳（連絡未達）、未渡小切手、誤記入の場合です。　基本Q10～Q15

基本仕訳リンク

基本仕訳編での掲載箇所を示しています。間違えてしまったときには、基本仕訳編の該当箇所に戻りましょう。

工業簿記　本試験演習編■

A 1　第4問対策

	借方科目	金　額	貸方科目	金　額
1	(オ)材　料	98,500 貸方合計	(ウ)買　掛　金 (キ)当座預金	98,000*1 500
2	(イ)仕　掛　品 (オ)製造間接費	80,000*2 10,000*3	(ア)材　料	90,000 借方合計
3	(キ)材　料	1,400	(オ)原価差異	1,400*4

＊1　@980円×100kg＝98,000円
＊2　@1,000円×80kg＝80,000円
＊3　@1,000円×（90kg－80kg）＝10,000円

目　次

商業簿記　基本仕訳編

ここでは2級商業簿記で学習する仕訳を220問にまとめています。このうち、まずは重要度A（基本的な仕訳＆よく出題される仕訳）を徹底的に固めましょう。

Q1 仕入諸掛りを支払ったとき(当社負担)

重要度 A

チェック

商品100円を仕入れ、代金は掛けとした。なお、引取費用（当社負担）10円は現金で支払った。

Q2 仕入諸掛りを支払ったとき(先方負担)

重要度 A

チェック

商品200円を仕入れ、代金は掛けとした。なお、引取費用（先方負担）20円は現金で立替払いした。

Q3 仕入割戻を受けたとき

重要度 A

チェック

仕入先からの購入量が一定量となったため、割戻し30円を受け、掛け代金と相殺した。

A1

仕入諸掛り

借方	金額	貸方	金額
(仕　　入)	110	(買　掛　金)	100
		(現　　金)	10

当社負担の仕入諸掛り（引取費用）▶仕入原価に含める

ポイント

当社負担の仕入諸掛りは**仕入原価**に含め、**先方負担の仕入諸掛り**は**立替金**で処理します。

当社負担	仕入原価
先方負担	立替金

あわせてチェック
Q2 先方負担の仕入諸掛り

A2

仕入諸掛り

借方	金額	貸方	金額
(仕　　入)	200	(買　掛　金)	200
(立　替　金)	20	(現　　金)	20

先方負担の仕入諸掛り（引取費用）▶立替金（資産）で処理

あわせてチェック
Q1 当社負担の仕入諸掛り

A3

仕入割戻

借方	金額	貸方	金額
(買　掛　金)	30	(仕　　入)	30

①仕入割戻の適用▶商品の原価を修正▶仕入（費用）の減少▶貸方

②仕入代金は掛け▶買掛金（負債）の減少▶借方

Q4 売上原価の算定ほか

重要度 A

チェック □ □ □

期末における商品棚卸高は次のとおりである。なお、売上原価は仕入勘定で計算する（棚卸減耗損および商品評価損は仕入勘定に振り替えなくてよい）。

帳簿棚卸数量　４個　実地棚卸数量　３個
１個あたり単価：原価　10円　時価　９円
残高試算表の繰越商品：20円

Q5 売上原価対立法①

重要度 A

チェック □ □ □

商品100円を掛けで仕入れた。なお、売上原価対立法で処理すること。

Q6 売上原価対立法②

重要度 A

チェック □ □ □

商品（原価100円、売価120円）を掛けで販売した。なお、売上原価対立法で処理すること。

A4 売上原価

（仕　　　入）	20	（繰 越 商 品）	20
（繰 越 商 品）	40 *1	（仕　　　入）	40
（棚 卸 減 耗 損）	10 *2	（繰 越 商 品）	10
（商 品 評 価 損）	3 *3	（繰 越 商 品）	3

商　品

原価@10円

時価@９円

＊３　商品評価損
（@10円－@９円）
×３個＝３円

＊２
棚卸減耗損
@10円×
（４個－３個）
＝10円

＊１
期末商品棚卸高
@10円×４個
＝40円

実地３個　　帳簿４個

A5 売上原価対立法

（商　　　品）	100	（買　掛　金）	100

①売上原価対立法により商品を仕入れ▶商品（資産）の増加▶借方

②仕入代金は掛け▶買掛金（負債）の増加▶貸方

ポイント

売上原価対立法は、商品（資産）、売上（収益）、売上原価（費用）の３つの勘定で処理する方法です。**商品を仕入れたときは分記法と同様**に商品（資産）の借方に原価を記入します。

A6 売上原価対立法

（売　掛　金）	120	（売　　　上）	120
（売 上 原 価）	100	（商　　　品）	100

①売上原価対立法により商品を売り上げ
　▶売上（収益）の増加▶売価・貸方

②商品の引き渡し▶商品（資産）の減少▶原価・貸方
　▶売上原価（費用）の増加▶原価・借方

ポイント

売上原価対立法において商品を販売したときは、**売価により売上（収益）で処理**するとともに、原価を**商品（資産）から売上原価（費用）に振り替え**ます。

Q7 売上原価対立法③

重要度 A

チェック □□□

仕入先からの購入量が一定量となったため、割戻し30円を受け、掛け代金と相殺した。なお、売上原価対立法で処理すること。

Q8 銀行別の預金口座勘定を設定する場合

重要度 A

チェック □□□

現金1,000円のうち600円をＡ銀行の普通預金口座へ預け入れ、残り400円をＢ銀行の普通預金口座へ預け入れた。なお、当社は、普通預金勘定に銀行名を付けた勘定を設定して管理している。

Q9 当座借越の期末振り替え

重要度 A

チェック □□□

本日決算につき当座預金勘定の貸方残高200円を借入金勘定に振り替える。なお、当社は借越限度価額1,000円の当座借越契約を結んでいる。

A7

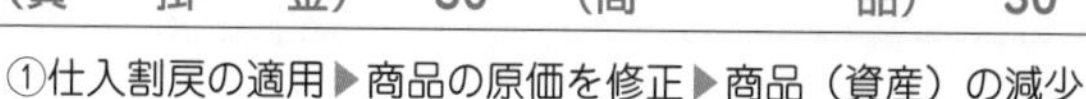

借方	金額	貸方	金額
（買掛金）	30	（商品）	30

①仕入割戻の適用▶商品の原価を修正▶商品（資産）の減少▶貸方

②仕入代金は掛け▶買掛金（負債）の減少▶借方

売上原価対立法

A8

借方	金額	貸方	金額
（普通預金A銀行）	600	（現金）	1,000
（普通預金B銀行）	400		

①現金の預け入れ▶現金の減少▶貸方

②普通預金口座への預け入れ

- A銀行分▶普通預金A銀行（資産）の増加▶借方
- B銀行分▶普通預金B銀行（資産）の増加▶借方

ポイント

当座預金や定期預金についても銀行別に預金口座勘定を設定する場合があります。その際には、普通預金と同じように各勘定科目の後ろに銀行名を付けます。

現金預金

A9

借方	金額	貸方	金額
（当座預金）	200	（借入金）	200

①当座預金勘定の貸方残高の振り替え
▶当座預金（資産）の増加▶借方

②借入金勘定への振り替え▶借入金（負債）の増加▶貸方

ポイント

貸方の勘定科目は当座借越勘定を用いる場合もあります。どちらを使用するかは問題文の指示に従いましょう。

現金預金

Q10 当座預金残高と残高証明書残高との差異(時間外預入)

重要度 A

チェック □□□

当社の帳簿上の当座預金残高と銀行残高証明書の残高に差異が生じていた。その原因を調べたところ、以下の事実が判明した。

・決算日に現金100円を預け入れた（決算日付けで記帳済み）が、営業時間外のため銀行では翌日付けで入金の記帳がされた。

Q11 当座預金残高と残高証明書残高との差異(未取立小切手)

重要度 A

チェック □□□

当社の帳簿上の当座預金残高と銀行残高証明書の残高に差異が生じていた。その原因を調べたところ、以下の事実が判明した。

・得意先から受け入れた小切手50円の取り立てを銀行に依頼していたが、まだ銀行が取り立てていなかった。

Q12 当座預金残高と残高証明書残高との差異(未取付小切手)

重要度 A

チェック □□□

当社の帳簿上の当座預金残高と銀行残高証明書の残高に差異が生じていた。その原因を調べたところ、以下の事実が判明した。

・買掛金支払いのために振り出した小切手10円（振出時に記帳済み）が、決算日において、まだ銀行に呈示されていなかった。

A10　銀行勘定調整表

仕　訳　な　し

時間外預入▶銀行に預け入れたときに当社は正しく処理済み▶修正仕訳は必要なし

ポイント

時間外預入は、翌日になって銀行が処理すれば差異が解消するので、修正仕訳は必要ありません。

A11　銀行勘定調整表

仕　訳　な　し

未取立小切手▶銀行に取り立て依頼をしたときに当社では正しく処理している▶修正仕訳は必要なし

ポイント

未取立小切手…他人振出小切手を銀行に預け入れ、代金の取り立てを依頼したにもかかわらず、銀行がまだ取り立てていないもの

→銀行が取り立てていないだけなので当社の修正仕訳は不要

A12　銀行勘定調整表

仕　訳　な　し

銀行に未呈示の小切手(未取付小切手)▶取引先に小切手を振り出したときに当社は正しく処理している▶修正仕訳は必要なし

ポイント

未取付小切手…取引先に振り出した小切手について、取引先が銀行に小切手を持ち込んでいないため、まだ決済されていないもの

→取引先が小切手を銀行に持ち込んでいないだけなので、当社の修正仕訳は不要

Q13 当座預金残高と残高証明書残高との差異（連絡未達）

重要度 A

チェック □□□

当社の帳簿上の当座預金残高と銀行残高証明書の残高に差異が生じていた。その原因を調べたところ、以下の事実が判明した。

・決算日に得意先からの売掛金100円の振り込みがあったが、当社に未達のため未記帳になっていた。

Q14 当座預金残高と残高証明書残高との差異（誤記入）

重要度 A

チェック □□□

当社の帳簿上の当座預金残高と銀行残高証明書の残高に差異が生じていた。その原因を調べたところ、以下の事実が判明した。

・得意先からの売掛金の振込額100円を120円と誤記入していた。

Q15 当座預金残高と残高証明書残高との差異（未渡小切手）

重要度 A

チェック □□□

当社の帳簿上の当座預金残高と銀行残高証明書の残高に差異が生じていた。その原因を調べたところ、以下の事実が判明した。

・買掛金支払いのために振り出した小切手100円（振出時に記帳済み）が決算日において、金庫に保管されたままだった。

A13

銀行勘定調整表

（当座預金）	100	（売掛金）	100

売掛金の回収が未達▶売掛金の回収の処理

ポイント

連絡未達…当座預金口座に振り込みなどがあったにもかかわらず、当社に連絡が届いていないこと
→未達取引の仕訳が必要

A14

銀行勘定調整表

（売掛金）	20	（当座預金）	20

①本来の仕訳
（当座預金）　100　（売掛金）　100
②誤った仕訳
（当座預金）　120　（売掛金）　120
売掛金の回収額が20円多い▶20円はまだ回収されていない▶20円分の売掛金の回収がなかったことにする

ポイント

誤記入→正しい仕訳になるように修正仕訳が必要

A15

銀行勘定調整表

（当座預金）	100	（買掛金）	100

①買掛金支払いのための小切手が未渡し（未渡小切手）▶まだ買掛金が支払われていない▶買掛金の増加▶貸方

②未渡小切手▶当座預金の減少なし▶当座預金の増加▶借方

ポイント

未渡小切手→当座預金の増加の処理

修正仕訳が必要なもの
・未達取引　・誤記入　・未渡小切手

Q16 営業外受取手形①

重要度 A

チェック □□□

11月10日　土地（帳簿価額100円）を売却し、代金100円は約束手形で受け取った。

Q17 営業外受取手形②

重要度 A

チェック □□□

11月30日　Q16の約束手形が支払期日となり、当座預金口座に代金が入金された。

Q18 営業外支払手形①

重要度 A

チェック □□□

11月10日　備品を購入し、代金100円は約束手形を振り出して支払った。

A16

（営業外受取手形）	100	（土　　　　地）	100

①土地を売却のため引き渡し▶土地（資産）の減少▶貸方

②商品以外の物品を売却し、代金を約束手形で受け取り
▶営業外受取手形（資産）の増加▶借方

ポイント

建物・備品・土地など、**商品以外の物品を売り、その代金を手形で受け取った**場合、**営業外受取手形（資産）**で処理します。

営業外受取手形

A17

（当　座　預　金）	100	（営業外受取手形）	100

①当座預金口座への入金▶当座預金（資産）の増加▶借方
②営業外受取手形の代金を回収
▶営業外受取手形（資産）の減少▶貸方

ポイント

営業外受取手形の手形代金を回収したときは、商品売買において用いた受取手形のときと同じように、**営業外受取手形（資産）の貸方に記入**し、これを減少させます。

営業外受取手形

A18

（備　　　　品）	100	（営業外支払手形）	100

①備品の購入▶備品（資産）の増加▶借方

②商品以外の物品を購入し、約束手形を振り出して支払い
▶営業外支払手形（負債）の増加▶貸方

ポイント

建物・備品・土地など、**商品以外の物品を購入し、その代金を手形で支払った**場合は、**営業外支払手形（負債）**で処理します。

営業外支払手形

Q19 営業外支払手形②

重要度 A

チェック □□□

11月30日　Q18の約束手形が支払期日となり、当座預金口座から代金が支払われた。

Q20 クレジット売掛金①

重要度 A

チェック □□□

商品300円をクレジット・カードにより販売した。なお、信販会社へのクレジット手数料は販売代金の１％であり、販売時に計上する。

Q21 クレジット売掛金②

重要度 A

チェック □□□

Q20のクレジット取引について、信販会社から１％の手数料を差し引いた手取額297円が当社の当座預金口座に入金された。

A 19

営業外支払手形

(営業外支払手形)	100	(当　座　預　金)	100

①当座預金口座からの支払い▶当座預金（資産）の減少▶貸方
②営業外支払手形の代金を決済
▶営業外支払手形（負債）の減少▶借方

ポイント

営業外支払手形の手形代金を決済したときは、商品売買において用いた支払手形のときと同じように、**営業外支払手形（負債）の借方に記入**し、これを減少させます。

A 20

クレジット売掛金

(クレジット売掛金)	297	(売　　　　上)	300
(支 払 手 数 料)	3＊		

①商品の売り上げ▶売上（収益）の増加▶貸方

②クレジット・カードにより販売した商品の売上代金
▶クレジット売掛金（資産）の増加▶借方

③クレジット・カード利用にともない信販会社に対して支払う手数料▶支払手数料（費用）の増加▶借方
＊　300円×１％＝３円

A 21

クレジット売掛金

(当　座　預　金)	297	(クレジット売掛金)	297

①当座預金口座への入金▶当座預金（資産）の増加▶借方

②クレジット・カードにより販売した商品の売上代金の回収
▶クレジット売掛金（資産）の減少▶貸方

ポイント

クレジット取引における売上代金を回収したときは、通常の売掛金のときと同じように**クレジット売掛金（資産）の貸方に記入**し、これを減少させます。

Q22 電子記録債権の発生

重要度 A

チェック □□□

新宿株式会社は、得意先札幌株式会社に対する売掛金100円について、同社の承諾を得て、電子記録債権の発生記録を行った。

Q23 電子記録債権の譲渡①

重要度 A

チェック □□□

新宿株式会社は、名古屋株式会社に対する買掛金50円を支払うため、Q22で発生した電子記録債権の譲渡記録を行った。

Q24 電子記録債権の譲渡②

重要度 B

チェック □□□

新宿株式会社は、Q22で発生した電子記録債権のうち30円を福岡株式会社に売却し、譲渡記録を行った。なお、売却代金28円は現金で受け取った。

A22

(電子記録債権)	100	(売　掛　金)	100

売掛金から電子記録債権への振り替え

▶ { 電子記録債権を記録▶電子記録債権（資産）の増加▶借方
売掛金（資産）の減少▶貸方 }

ポイント

売掛金について、**電子記録債権を用いて記録した場合、**債権者は売掛金から**電子記録債権（資産）に振り替え**ます。

A23

(買　掛　金)	50	(電子記録債権)	50

買掛金支払いのために電子記録債権を譲渡

▶ { ①買掛金を支払い▶買掛金（負債）の減少▶借方
②買掛金の支払いのための電子記録債権を譲渡 }
▶電子記録債権（資産）の減少▶貸方

ポイント

電子記録債権は、支払期日までの間に譲渡記録を行うことにより、買掛金等の支払いのために、第三者に譲渡することができます。

A24

(現　　金)	28	(電子記録債権)	30
(電子記録債権売却損)	2		

①電子記録債権を売却▶電子記録債権（資産）の減少▶貸方

②電子記録債権の売却による現金の受け取り
▶現金（資産）の増加▶借方

③貸借差額▶借方▶電子記録債権売却損（費用）の発生

Q25 電子記録債権の回収期限が到来したとき

重要度 A

チェック □ □ □

Q22で発生した電子記録債権20円の回収期限が到来し、当座預金口座に入金された。

Q26 電子記録債務の発生

重要度 A

チェック □ □ □

青森株式会社は、仕入先京都株式会社に対する買掛金40円について、電子記録債務の発生記録を行った。

Q27 電子記録債務の支払期限が到来したとき

重要度 A

チェック □ □ □

青森株式会社は、電子記録債務40円の支払期限が到来したため、当座預金で決済した。

A25

(当　座　預　金)	20	(電子記録債権)	20

電子記録債権の代金を当座預金により受け取り

▶ ①当座預金口座への入金▶当座預金（資産）の増加▶借方
　②電子記録債権の代金回収▶電子記録債権（資産）の減少▶貸方

電子記録債権(債務)

A26

(買　　掛　　金)	40	(電子記録債務)	40

買掛金から電子記録債務への振り替え

▶ ①電子記録債務を記録▶電子記録債務（負債）の増加▶貸方
　②買掛金（負債）の減少▶借方

ポイント

買掛金について、**電子記録債務を用いて記録した場合、**債務者は買掛金から**電子記録債務（負債）に振り替え**ます。

電子記録債権(債務)

A27

(電子記録債務)	40	(当　座　預　金)	40

電子記録債務の代金を当座預金により支払い

▶ ①当座預金口座からの支払い▶当座預金（資産）の減少▶貸方
　②電子記録債務の支払い▶電子記録債務（負債）の減少▶借方

電子記録債権(債務)

Q28 電子記録債権の発生（金銭消費貸借）

重要度 B

チェック □ □ □

神戸株式会社は、大阪株式会社に対し現金30円を貸し付け、ただちに大阪株式会社の承諾を得て、電子記録債権の発生記録を行った。

Q29 電子記録債務の発生（金銭消費貸借）

重要度 B

チェック □ □ □

大阪株式会社は、神戸株式会社より現金30円を借り入れた。同時に電子記録債務の発生記録について承諾をした。

Q30 営業外電子記録債権の発生

重要度 B

チェック □ □ □

広島株式会社は、土地（帳簿価額100円）を岡山株式会社に120円で売却し、ただちにその売却代金につき岡山株式会社の承諾を得て、電子記録債権の発生記録を行った。

A 28

電子記録債権（債務）

（貸　付　金）	30	（現　　　金）	30

①貸付金を電子記録した▶貸付金（資産）の増加▶借方

②現金を貸し付けた▶現金（資産）の減少▶貸方

ポイント

金銭の消費貸借（お金の貸し借り）について、電子記録債権を取得した場合、**債権者は貸付金（資産）で処理**します。

A 29

電子記録債権（債務）

（現　　　金）	30	（借　入　金）	30

①借入金を電子記録した▶借入金（負債）の増加▶貸方

②現金を借り入れた▶現金（資産）の増加▶借方

ポイント

金銭の消費貸借（お金の貸し借り）について、電子記録債務を負った場合は、**債務者は借入金（負債）で処理**します。

A 30

営業外電子記録債権

（営業外電子記録債権）	120	（土　　　地）	100
		（土 地 売 却 益）	20

①有形固定資産を売却し、代金を電子記録債権で取得
▶営業外電子記録債権（資産）の増加▶借方

②土地の売却▶土地（資産）の減少▶貸方

③貸借差額▶貸方▶土地売却益（収益）

ポイント

固定資産や有価証券の売却代金について、電子記録債権を取得した場合、**債権者は営業外電子記録債権（資産）で処理**します。

Q31 営業外電子記録債務の発生

チェック

岡山株式会社は、広島株式会社より土地120円を購入し、同時に、その購入代金に関する電子記録債務の発生記録について承諾した。

Q32 その他の債権の譲渡①

チェック

A社に対する買掛金の支払いにあたり、当社の得意先B社に対する売掛金（現在の残高500円）のうち100円を譲渡することにつき、A社およびB社の双方から同意を得たため、これを譲渡した。

Q33 その他の債権の譲渡②

チェック

C社に対する売掛金のうち200円を180円で売却し、代金は当座預金口座へ振り込まれた。

A 31

営業外電子記録債務

(土　　　　　地)	120	(営業外電子記録債務)	120

①土地の購入▶土地（資産）の増加▶借方

②有形固定資産を購入し、代金を電子記録債務で支払い
▶営業外電子記録債務（負債）の増加▶貸方

ポイント

固定資産や有価証券の購入代金について、電子記録債務を負った場合、**債務者は営業外電子記録債務（負債）で処理**します。

A 32

その他の債権の譲渡

(買　掛　金)	100	(売　掛　金)	100

①買掛金の支払い▶買掛金（負債）の減少▶借方

②売掛金の譲渡▶売掛金（資産）の減少▶貸方

A 33

その他の債権の譲渡

(当 座 預 金)	180	(売　掛　金)	200
(債 権 売 却 損)	20*		

①売掛金の売却▶売掛金（資産）の減少▶貸方

②当座預金へ振り込み▶当座預金（資産）の増加▶借方

③貸借差額▶借方▶債権売却損（費用）

*　200円－180円＝20円

Q34 債務の保証①

重要度 B

チェック □□□

福岡商店は、大分商店の借入金500円について保証人となった。

Q35 債務の保証②

重要度 B

チェック □□□

福岡商店は、かねて保証していた債務500円が無事に返済された旨の連絡を受けた。

Q36 債務の保証③

重要度 B

チェック □□□

福岡商店は、かねて保証していた債務500円につき、大分商店が支払い不能となったので現金で返済した。

A34　債務の保証

(保証債務見返)	500	(保　証　債　務)	500

①偶発債務の金額を記録▶保証債務見返（対照勘定）を計上▶借方
②偶発債務の金額を記録▶保証債務（対照勘定）を計上▶貸方

ポイント

保証人になったときは、偶発債務を、「**保証債務見返**」勘定の借方と「**保証債務**」勘定の貸方にそれぞれ記入し、備忘記録を行います。この2つの勘定はともに偶発債務の金額を記録するための勘定であり、このような使い方をする勘定を「**対照勘定**」といいます。

A35　債務の保証

(保　証　債　務)	500	(保証債務見返)	500

①偶発債務が消滅▶保証債務（対照勘定）を逆仕訳▶借方

②偶発債務が消滅▶保証債務見返（対照勘定）を逆仕訳▶貸方

ポイント

債務者が無事に返済したときは、偶発債務が消滅するので、対照勘定を**逆仕訳**します。

A36　債務の保証

(立　替　金)	500	(現　　　金)	500
(保　証　債　務)	500	(保証債務見返)	500

①債務者に代わって借金を返済▶立替金（資産）の増加▶借方
②現金による支払い▶現金（資産）の減少▶貸方
③偶発債務が消滅▶保証債務（対照勘定）を逆仕訳▶借方
④偶発債務が消滅▶保証債務見返（対照勘定）を逆仕訳▶貸方

ポイント

債務者に代わって借金を返済したときは、立替払いとなるため**立替金**を計上します。また、偶発債務が本当の債務となってその支払いをしたことから、偶発債務が消滅するので、対照勘定を**逆仕訳**します。

Q37 差入保証金

重要度 A

チェック □□□

事務所を借りる際に、敷金100円、１か月分の家賃500円を現金で支払った。

Q38 有形固定資産を購入したとき

重要度 A

チェック □□□

建物1,500円を購入し、代金は小切手を振り出して支払った。なお、不動産業者への手数料300円と登記料200円は現金で支払った。

Q39 有形固定資産の減価償却（定額法①）

重要度 A

チェック □□□

決算につき、当期の期首に取得した営業用の建物（取得原価：2,000円、耐用年数：30年、残存価額：取得原価の10％、償却方法：定額法）の減価償却を行う。なお、会計期間は１年とし、記帳方法は間接法によること。

A 37

差入保証金

(差入保証金)	100	(現　　　金)	600
(支払家賃)	500		

①敷金の支払い▶差入保証金（資産）の増加▶借方

②家賃の支払い▶支払家賃（費用）の増加▶借方

③現金での支払い▶現金の減少▶貸方

ポイント

敷金や保証金は退去時に返してもらうことができます。そのため、差入保証金として資産の勘定で処理します。

A 38

有形固定資産の購入

(建　　　物)	2,000＊	(当座預金)	1,500
		(現　　　金)	500

不動産業者への手数料、登記料▶付随費用▶有形固定資産の取得原価に含める

＊　1,500円＋300円＋200円＝2,000円

A 39

有形固定資産の減価償却

(減価償却費)	60＊	(減価償却累計額)	60

①減価償却費（定額法）の計算▶期首取得▶月割計算不要

＊　2,000円×0.9÷30年＝60円

②間接法▶減価償却累計額▶貸方

資産のマイナス項目

Q40 有形固定資産の減価償却（定額法②）

重要度 A

チェック □ □ □

3月31日　決算につき、当期の6月1日に取得した建物（取得原価：1,800円、耐用年数：30年、残存価額：0円、償却方法：定額法）の減価償却を行う。なお、会計期間は1年とし、記帳方法は直接法によること。

Q41 有形固定資産の減価償却（定率法①）

重要度 A

チェック □ □ □

決算につき、当期の期首に取得した備品（取得原価：1,000円）について定率法（償却率20%）により減価償却を行う。なお、会計期間は1年とし、記帳方法は間接法によること。

Q42 有形固定資産の減価償却（定率法②）

重要度 A

チェック □ □ □

決算につき、前期の期首に取得した備品（取得原価：1,000円、残高試算表の減価償却累計額：200円）について定率法（償却率20%）により減価償却を行う。なお、会計期間は1年とし、記帳方法は間接法によること。

A40 有形固定資産の減価償却

(減価償却費)	50*	(建　　　　物)	50

①減価償却費（定額法）の計算▶期中取得▶月割計算（6月1日～3月31日）が必要

＊　1,800円÷30年×$\frac{10か月}{12か月}$＝50円

②直接法▶建物▶貸方

A41 有形固定資産の減価償却

(減価償却費)	200*	(減価償却累計額)	200

①減価償却費（定率法）の計算▶期首取得▶月割計算不要

＊　1,000円×20％＝200円

②間接法▶減価償却累計額▶貸方

A42 有形固定資産の減価償却

(減価償却費)	160*	(減価償却累計額)	160

①減価償却費（定率法）の計算▶前期取得

＊　(1,000円－200円)×20％＝160円

②間接法▶減価償却累計額▶貸方

ポイント

定率法の減価償却費の計算

(取得原価－減価償却累計額)×償却率

Q43 有形固定資産の減価償却(200%定率法)

重要度 B

チェック □ □ □

×5年3月31日　決算につき営業用の備品（取得日：×1年4月1日、取得原価：10,000円、当期首での減価償却累計額：7,840円、耐用年数：5年、残存価額：ゼロ、償却方法：200%定率法、償却率：各自推定、保証率：0.108、改定償却率：0.5）の減価償却を行う。なお、記帳方法は間接法によること。

Q44 有形固定資産の減価償却(生産高比例法)

重要度 A

チェック □ □ □

決算につき、車両運搬具（取得原価：100円）について、生産高比例法により減価償却を行う。この車両運搬具の可能走行距離は90km、当期走行距離は10km、残存価額は取得原価の10%である。なお、会計期間は1年とし、記帳方法は直接法によること。

A43

有形固定資産の減価償却

（減 価 償 却 費）1,080	（減価償却累計額）1,080

(1)200％定率法の償却率算定：$\frac{1}{\text{耐用年数5年}}$×200％＝0.4

(2)通常の定率法と償却保証額の減価償却費の比較

①通常の定率法：10,000円（取得原価）－7,840円（当期首累計額）＝2,160円（未償却額）

2,160円（未償却額）×0.4（償却率）＝864円

②償却保証額：10,000円（取得原価）×0.108（保証率）＝1,080円

①864円＜②1,080円　∴均等償却へ切り替え

(3)均等償却：2,160円（未償却額）×0.5（改定償却率）＝1,080円

ポイント

「取得原価×保証率」により算定される償却保証額が、**通常の定率法での償却額を上回ったら**、「未償却額×改定償却率」が減価償却費になります。

A44

有形固定資産の減価償却

（減 価 償 却 費）　10*	（車 両 運 搬 具）　10

①減価償却費（生産高比例法）の計算

＊　100円×0.9×$\frac{10km}{90km}$＝10円

②直接法▶車両運搬具▶貸方

ポイント

生産高比例法の減価償却費の計算

（取得原価－残存価額）×$\frac{\text{当期利用量}}{\text{総利用可能量}}$

Q45 有形固定資産の売却(期首売却)

重要度 A

チェック □ □ □

当期首において、備品(取得原価200円、期首減価償却累計額140円)を80円で売却し、代金は小切手で受け取った。なお、決算日は3月31日(年1回)、定率法(償却率20%、間接法)により処理している。

Q46 有形固定資産の売却(期中売却)

重要度 A

チェック □ □ □

8月31日　備品(取得原価200円、期首減価償却累計額140円)を80円で売却し、代金は小切手で受け取った。なお、決算日は3月31日(年1回)、定率法(償却率20%、間接法で記帳)により処理している。

Q47 有形固定資産の割賦購入(約束手形を振り出すケース)①

重要度 A

チェック □ □ □

建物1,000円を購入し、その代金は5回に分割して支払うことにし、2か月ごとに支払期日を定めた約束手形を5枚(@210円×5枚)振り出して支払った。なお、利息分については前払利息で処理する。

A45
有形固定資産の売却

借方		貸方	
(減価償却累計額)	140	(備　　品)	200
(現　　金)	80	(固定資産売却益)	20

①備品の売却＆間接法
- 備品（取得原価）の減少▶貸方
- 減価償却累計額の減少▶借方

②小切手を受け取った▶現金の増加▶借方

③貸借差額▶貸方▶固定資産売却益（収益）

A46
有形固定資産の売却

借方		貸方	
(減価償却累計額)	140	(備　　品)	200
(減 価 償 却 費)	5*	(固定資産売却益)	25
(現　　金)	80		

①備品の期中売却▶減価償却費（定率法）を月割り（4月1日～8月31日）で計上

$*\quad (200円-140円) \times 20\% \times \frac{5か月}{12か月} = 5円$

②貸借差額▶貸方▶固定資産売却益（収益）

ポイント

有形固定資産を期中で売却したときは、当期首から売却日までの減価償却費を月割りで計上します。

A47
有形固定資産の割賦購入

借方		貸方	
(建　　物)	1,000	(営業外支払手形)	1,050
(前 払 利 息)	50		

①建物の購入▶建物（資産）の増加▶借方

②商品以外のものを購入した代金として手形を振り出した▶営業外支払手形（負債）の増加▶貸方

③利息相当分の計上▶前払利息（資産）の増加▶借方

ポイント

有形固定資産を割賦購入した場合、利息に相当する金額を、前払利息（資産）として借方に計上します。

Q48 有形固定資産の割賦購入(約束手形を振り出すケース)②

重要度 A

チェック □□□

Q47における建物の購入に関して、１枚目の手形代金210円を当座預金で支払った。なお、２か月分の前払利息を定額法により配分する。

Q49 有形固定資産の割賦購入(約束手形を振り出すケース)③

重要度 A

チェック □□□

決算につき、Q47における建物の購入に関する前払利息について、当期の経過期間に対応する１か月分を定額法により取り崩す。

Q50 有形固定資産の割賦購入(支払総額を未払金として計上するケース)①

重要度 A

チェック □□□

建物1,000円を購入し、その代金は２か月ごとに210円ずつ５回に分割して支払うこととした。なお、利息分については前払利息で処理する。

A48

(営業外支払手形)	210	(当座預金)	210
(支払利息)	10*	(前払利息)	10

①営業外支払手形の決済▶営業外支払手形（負債）の減少▶借方

②前払利息から支払利息への振り替え

▶{ 支払利息（費用）の増加▶借方
　 前払利息（資産）の減少▶貸方

＊　50円÷5枚（手形枚数）＝@10円

ポイント

支払った分の利息は、定額法などの方法で、前払利息（資産）から、支払利息（費用）に振り替えます。

A49

(支払利息)	5*	(前払利息)	5

前払利息から支払利息への振り替え

▶{ 支払利息（費用）の増加▶借方
　 前払利息（資産）の減少▶貸方

＊　50円÷5枚（手形枚数）＝@10円（2か月分）

$$@10円 \times \frac{1か月}{2か月} = 5円$$

ポイント

前払利息の支払日と決算日が異なる場合、経過期間に対応する利息を、決算時に支払利息とします。

A50

(建物)	1,000	(未払金)	1,050
(前払利息)	50		

①建物の購入▶建物（資産）の増加▶借方

②割賦購入した場合の債務▶未払金（負債）の増加▶貸方

③利息相当分の計上▶前払利息（資産）の増加▶借方

Q51 有形固定資産の割賦購入（支払総額を未払金として計上するケース）②

重要度 A

チェック

Q50の建物につき、本日１回目の代金210円について小切手を振り出して支払った。なお、前払利息は定額法により配分する。

Q52 有形固定資産の割賦購入（利息を未払金に含めないケース）①

重要度 B

チェック

建物1,000円を購入し、その代金は２か月ごとに210円を５回に分割して支払うこととした。なお、利息分については購入時には計上しないこととする。

Q53 有形固定資産の割賦購入（利息を未払金に含めないケース）②

重要度 B

チェック

Q52の建物につき、本日１回目の代金210円について小切手を振り出して支払った。なお、定額法により支払利息を計上する。

A 51 有形固定資産の割賦購入

借方科目	金額	貸方科目	金額
(未払金)	210	(当座預金)	210
(支払利息)	10*	(前払利息)	10

①割賦代金の決済▶未払金（負債）の減少▶借方

②前払利息から支払利息への振り替え

▶ 支払利息（費用）の増加▶借方
　 前払利息（資産）の減少▶貸方

*　50円÷5回（返済回数）＝@10円

A 52 有形固定資産の割賦購入

借方科目	金額	貸方科目	金額
(建物)	1,000	(未払金)	1,000

①建物の購入▶建物（資産）の増加▶借方

②割賦購入した場合の債務▶未払金（負債）の増加▶貸方

ポイント

有形固定資産を割賦購入したときに、利息分を計上しない場合には、支払総額から利息を控除した金額を未払金（負債）として計上します。

A 53 有形固定資産の割賦購入

借方科目	金額	貸方科目	金額
(未払金)	200	(当座預金)	210
(支払利息)	10*		

①割賦代金の決済▶未払金（負債）の減少▶借方
②利息分の計上▶支払利息（費用）の増加▶借方

*　210円×5回（返済回数）－1,000円＝50円

　50円÷5回＝@10円

ポイント

購入代金を支払ったときに、定額法などの計算にもとづき支払利息を計上します。

Q54 有形固定資産の買換え

重要度 A

チェック □ □ □

当期首において、営業用の車両（取得原価500円、減価償却累計額300円）を下取りさせて新車両（購入価額800円）を購入した。なお、旧車両の下取価額は250円であり、購入価額との差額は現金で支払った。ただし、減価償却は間接法で記帳している。

Q55 有形固定資産の除却

重要度 A

チェック □ □ □

機械装置（取得原価200円、減価償却累計額150円、間接法で記帳）を除却した。除却した機械装置の処分価額は10円で倉庫に保管したままである。

Q56 有形固定資産の廃棄

重要度 A

チェック □ □ □

機械装置（取得原価200円、減価償却累計額150円、間接法で記帳）を廃棄した。

A54　有形固定資産の買換え

借方		貸方	
（車両運搬具）	800	（車両運搬具）	500
（減価償却累計額）	300	（固定資産売却益）	50
		（現　　　金）	550

①旧車両の売却の仕訳

（減価償却累計額）	300	（車両運搬具）	500
~~（未収入金など）~~	~~250~~	（固定資産売却益）	50

②新車両の取得の仕訳

（車両運搬具）	800	~~（未収入金など）~~	~~250~~
		（現　　　金）	550*

*　新車両の取得原価と下取価額の差額を現金で支払い
→800円－250円＝550円

③①＋②が解答の仕訳

A55　有形固定資産の除却

借方		貸方	
（減価償却累計額）	150	（機械装置）	200
（貯　蔵　品）	10		
（固定資産除却損）	40		

①除却資産の処分価額▶貯蔵品（資産）で処理▶借方

②貸借差額▶借方▶固定資産除却損（費用）

ポイント

除却は有形固定資産を営業の用途からはずすことをいい、通常、スクラップとしての価値があります。この価値は**貯蔵品（資産）**で処理します。

☑あわせてチェック
Q56 有形固定資産の廃棄

A56　有形固定資産の廃棄

借方		貸方	
（減価償却累計額）	150	（機械装置）	200
（固定資産廃棄損）	50		

有形固定資産の廃棄＆貸借差額▶借方▶固定資産廃棄損(費用)

ポイント

廃棄は有形固定資産を捨ててしまうことをいいます。したがって、スクラップとしての価値は残らず、有形固定資産の帳簿価額（取得原価－減価償却累計額）を**固定資産廃棄損（費用）**で処理します。

☑あわせてチェック
Q55 有形固定資産の除却

Q57 建設中の建物の代金（一部）を支払ったとき

重要度 A

チェック □ □ □

埼玉建設に倉庫の新築を100円で請け負わせ、代金のうち20円を小切手を振り出して支払った。

Q58 建設中の建物が完成したとき

重要度 A

チェック □ □ □

埼玉建設に建設を依頼しておいた倉庫が完成し、請負代金100円のうち、未払分80円を小切手を振り出して支払った。なお、建設仮勘定（20円）を建物勘定に振り替えた。

Q59 有形固定資産を改良、修繕したとき

重要度 A

チェック □ □ □

建物の改良と修繕を行い、その代金100円を小切手を振り出して支払った。このうち30円は改良とみなされる。

A57

建設仮勘定

(建設仮勘定)	20	(当座預金)	20

未完成の倉庫に対する支払額▶建設仮勘定（資産）の増加▶借方

ポイント

倉庫が完成するまでは建物勘定で処理しません（なお、建**物**仮勘定と記入しないように注意！）。また、金額は請負価額ではなく、支払った金額を計上します。

☑あわせてチェック
Q122 ソフトウェア仮勘定

A58

建設仮勘定

(建物)	100	(当座預金)	80
		(建設仮勘定)	20

①倉庫の完成▶{建物の増加▶借方 / 建設仮勘定（資産）の減少▶貸方}

建設中の建物

②小切手を振り出して支払った▶当座預金の減少▶貸方

☑あわせてチェック
Q123 ソフトウェア仮勘定

A59

改良と修繕

(建物)	30	(当座預金)	100
(修繕費)	70		

①小切手の振り出し▶当座預金の減少▶貸方
②改良のための支出▶有形固定資産の価値を高める▶建物の増加▶借方
③修繕のための支出▶修繕費（費用）▶借方

ポイント

改良のための支出…**有形固定資産の取得原価**とする
修繕のための支出…**修繕費（費用）**で処理

Q60 火災により有形固定資産（保険なし）が焼失したとき

重要度 A

チェック □□□

当期首に火災により倉庫（取得原価200円、減価償却累計額140円、間接法で記帳）が焼失した。なお、この倉庫には火災保険を付していない。

Q61 火災により有形固定資産（保険あり）が焼失したとき

重要度 A

チェック □□□

当期首に火災により倉庫（取得原価200円、減価償却累計額140円、間接法で記帳）が焼失した。なお、火災保険契約100円を結んでいる。

Q62 保険会社から連絡があったとき①

重要度 A

チェック □□□

当期首に発生した火災による損害（倉庫が焼失。その際、倉庫の帳簿価額60円を火災未決算勘定で処理している）について40円の保険金を支払う旨の連絡があった。

A60

（減価償却累計額）	140	（建　　　物）	200
（火　災　損　失）	60		

①倉庫の焼失＆間接法▶ 建物の減少▶貸方 / 減価償却累計額の減少▶借方

②当期首に焼失▶当期の減価償却費の計上は不要

③保険なし▶帳簿価額を全額火災損失（費用）で処理▶借方

ポイント

保険を付していないときは、**焼失時**に**火災損失（費用）**を計上します。

あわせてチェック

Q61 保険ありの場合

有形固定資産の滅失

A61

（減価償却累計額）	140	（建　　　物）	200
（火　災　未　決　算）	60		

火災保険を付している▶帳簿価額は火災未決算で処理▶借方

ポイント

保険を付しているときは、受け取る保険金額が確定するまで、帳簿価額を**火災未決算**として処理しておきます。

あわせてチェック

Q60 保険なしの場合

有形固定資産の滅失

A62

（未　収　入　金）	40	（火　災　未　決　算）	60
（火　災　損　失）	20		

①保険金（40円）を支払う旨の連絡▶あとで40円を受け取れる▶未収入金の増加▶借方

②保険金額の確定▶火災未決算の減少▶貸方

③貸借差額▶借方▶火災損失（費用）

ポイント

受け取る保険金の額が火災未決算の額よりも少ないときは、**火災損失（費用）**で処理します。

あわせてチェック

Q63 保険差益の場合

有形固定資産の滅失

Q63 保険会社から連絡があったとき②

重要度 A

チェック

当期首に発生した火災による損害(倉庫が焼失。その際、倉庫の帳簿価額60円を火災未決算勘定で処理している)について100円の保険金を支払う旨の連絡があった。

Q64 国庫補助金を受け取ったとき

重要度 A

チェック

国から国庫補助金100円を現金で受け入れた。

Q65 有形固定資産を取得したとき(圧縮記帳)

重要度 A

チェック

国から受け入れた国庫補助金100円に自己資金200円を加えて、備品300円を購入し、代金は現金で支払った。国庫補助金相当額の圧縮記帳を直接減額方式により行った。

A 63

有形固定資産の滅失

借方科目	金額	貸方科目	金額
（未収入金）	100	（火災未決算）	60
		（保険差益）	40

貸借差額▶貸方▶保険差益（収益）

ポイント

受け取る保険金の額が火災未決算の額よりも多いときは、**保険差益（収益）**で処理します。

保険金＜火災未決算	火災損失
保険金＞火災未決算	保険差益

☑あわせてチェック
Q62 火災損失の場合

A 64

圧縮記帳

借方科目	金額	貸方科目	金額
（現金）	100	（国庫補助金受贈益）	100

国庫補助金の受入れ▶国庫補助金受贈益（収益）の増加▶貸方

圧縮記帳

借方科目	金額	貸方科目	金額
（備品）	300	（現金）	300
（固定資産圧縮損）	100	（備品）	100

①備品の購入▶備品（資産）の増加▶借方

（備　品）　300　（現　金）　300

②圧縮記帳（直接減額方式）

▶ ｛固定資産圧縮損（費用）▶借方
　 ｛備品（資産）の減少▶貸方

▶減少額：国庫補助金相当額

（固定資産圧縮損）　100　（備　品）　100

③①＋②が解答の仕訳

Q66 圧縮記帳した有形固定資産の減価償却

重要度 A

チェック □ □ □

期首に国庫補助金100円と自己資金200円で取得し、直接減額方式により圧縮記帳を行った備品について、本日決算のため、定額法（残存価額はゼロ、耐用年数は4年）により減価償却を行い、間接法により記帳する。

Q67 ファイナンス・リース取引を開始したとき(利子込み法)

重要度 A

チェック □ □ □

×１年４月１日　P社（借手）は下記の条件によってＳ社（貸手）と備品のファイナンス・リース契約（リース期間：５年）を結んだ。この取引は利子込み法により処理する。

【条　件】

リース料（毎年３月31日後払い）：年額120円、総額600円

見積現金購入価額 500円

Q68 ファイナンス・リース取引を開始したとき(利子抜き法)

重要度 A

チェック □ □ □

×１年４月１日　P社（借手）は下記の条件によってＳ社（貸手）と備品のファイナンス・リース契約（リース期間：５年）を結んだ。この取引は利子抜き法により処理する。

【条　件】

リース料（毎年３月31日後払い）：年額120円、総額600円

見積現金購入価額 500円

A 66　圧縮記帳

(減価償却費)	50*	(減価償却累計額)	50

①備品の取得原価▶国庫補助金100円＋自己資金200円＝300円

②減価償却費の計算▶期首取得▶月割計算不要

＊（300円－100円）÷4年＝50円
（100円：圧縮額）

ポイント

直接減額方式により圧縮記帳を行った場合の減価償却費の計算は、**圧縮後の簿価（＝取得原価－圧縮額）を取得原価とみなして**計算します。

A 67　リース取引

(リース資産)	600	(リース債務)	600

①ファイナンス・リース契約

- リース資産（資産）の増加▶借方
- リース債務（負債）の増加▶貸方

②利子込み法▶リース料総額をもってリース資産を計上

A 68　リース取引

(リース資産)	500	(リース債務)	500

①ファイナンス・リース契約

- リース資産（資産）の増加▶借方
- リース債務（負債）の増加▶貸方

②利子抜き法▶見積現金購入価額をもってリース資産を計上

Q69 リース料を支払ったとき(利子込み法)

重要度 A

チェック □□□

×1年4月1日に下記の条件でファイナンス・リース契約（リース期間：5年）を結んだ備品について×2年3月31日にリース料年額を現金により支払った（利子込み法）。

【条　件】

リース料（毎年3月31日後払い）：年額120円、総額600円

見積現金購入価額 500円

Q70 リース料を支払ったとき(利子抜き法)

重要度 B

チェック □□□

×1年4月1日に下記の条件でファイナンス・リース契約（リース期間：5年）を結んだ備品について×2年3月31日にリース料年額を現金により支払った（利子抜き法　利息相当額は定額法で配分）。

【条　件】

リース料（毎年3月31日後払い）：年額120円、総額600円

見積現金購入価額 500円

Q71 ファイナンス・リース取引の決算時(利子込み法)

重要度 A

チェック □□□

×1年4月1日に下記の条件でファイナンス・リース契約（リース期間：5年）を結んだ備品につき、決算日（×2年3月31日）のため、必要な処理を行う（利子込み法）。

【条　件】

リース料（毎年3月31日後払い）：年額120円、総額600円

減価償却方法：耐用年数5年、残存価額ゼロ、定額法、間接法

A69

リース取引

(リース債務)	120	(現　　　金)	120

リース料の支払い▶リース債務（負債）の減少▶借方

ポイント

利子込み法の場合、**リース債務の金額に利息分の金額が含まれている**ため、支払利息は計上しません。

A70

リース取引

(リース債務)	100*1	(現　　　金)	120
(支払利息)	20*2		

①リース料の支払い▶リース債務（負債）の減少▶借方

＊1　500円÷5年=100円
見積現金購入価額

②支払利息（費用）の増加▶借方

＊2　(600円−500円)÷5年=20円

ポイント

利子抜き法の場合、**リース債務と利息分を分けて**、利息分は支払利息とします。

A71

リース取引

(減価償却費)	120*	(減価償却累計額)	120

決算時の処理▶減価償却

- 減価償却費（費用）の増加▶借方
- 間接法▶減価償却累計額の増加▶貸方

＊　600円÷5年=120円

ポイント

利子込み法の場合、リース資産の計上金額は**リース料総額**となります。

Q72 ファイナンス・リース取引の決算時(利子抜き法)

重要度 A

チェック □ □ □

×1年4月1日に下記の条件でファイナンス・リース契約（リース期間：5年、リース料は毎年3月31日後払い）を結んだ備品につき、決算日（×2年3月31日）のため、必要な処理を行う（利子抜き法）。

【条　件】

見積現金購入価額500円

減価償却方法：耐用年数5年、残存価額ゼロ、定額法、間接法

Q73 オペレーティング・リース取引を開始したとき

重要度 A

チェック □ □ □

×1年4月1日　P社（借手）は下記の条件によってS社（貸手）と備品のリース（リース期間：5年）契約を結んだ（オペレーティング・リース取引）。契約時の仕訳を示しなさい。

【条　件】

リース料（毎年3月31日後払い、現金で処理）：年額120円、総額600円

Q74 オペレーティング・リース取引のリース料支払時

重要度 A

チェック □ □ □

×1年4月1日にP社（借手）は下記の条件によってS社（貸手）と備品のリース契約（リース期間：5年）を結んだ（オペレーティング・リース取引）。決算日（×2年3月31日）のため、必要な処理を行う。

【条　件】

リース料（毎年3月31日後払い、現金で処理）：年額120円、総額600円

A 72

リース取引

(減価償却費)	100*	(減価償却累計額)	100

決算時の処理▶減価償却
- 減価償却費（費用）の増加▶借方
- 間接法▶減価償却累計額の増加▶貸方

＊　500円÷５年＝100円

ポイント

・利子抜き法の場合、リース資産の計上金額は**見積現金購入価額**となります。
・決算日とリース料支払日がずれている場合は、決算日において、支払利息を未払計上します。

A 73

リース取引

仕　訳　な　し

オペレーティング・リース取引▶賃貸借取引▶契約時の仕訳なし

ポイント

オペレーティング・リース取引は**通常の賃貸借取引と同様の処理**を行うため、リース契約時にリース資産を計上しません。

A 74

リース取引

(支払リース料)	120	(現　　　金)	120

リース料の支払い▶支払リース料（費用）の増加▶借方

ポイント

オペレーティング・リース取引では、「リース資産」を計上していないため、減価償却は行いません。

Q75 オペレーティング・リース取引の未払計上

重要度 B

チェック □ □ □

×１年11月１日　Ｐ社（借手）は下記の条件によってＳ社（貸手）と備品のリース契約（リース期間：５年）を結んだ（オペレーティング・リース取引）。決算日（×２年３月３１日）のため、必要な処理を行う。

【条　件】

リース料（毎年10月31日後払い、現金で処理）：年額120円、総額600円

Q76 売買目的有価証券を購入したとき

重要度 A

チェック □ □ □

Ａ社の株式（売買目的有価証券）10株を１株10円で購入し、代金は購入手数料５円とともに現金で支払った。

Q77 売買目的有価証券を売却したとき①

重要度 A

チェック □ □ □

当期中に２回にわたって購入していたＡ社の株式（売買目的有価証券）20株（第１回目に10株を@10円、第２回目に10株を@20円で購入）のうち、５株を１株あたり12円で売却し、代金は月末に受け取ることとした。なお、株式の単価計算は平均原価法、記帳方法は分記法による。

A75

リース取引

(支払リース料)	50	(未払リース料)	50*

①当期分（×１年11月１日〜×２年３月31日）のリース料を計上▶支払リース料（費用）の増加▶借方
②未払リース料の計上▶未払リース料（負債）の増加▶貸方

＊　$120円 \times \frac{5か月}{12か月} = 50円$

ポイント

リース料支払日と決算日が異なる場合には、経過期間のリース料を未払計上（後払いの場合）します。

A76

有価証券の購入

(売買目的有価証券)	105*	(現　　　　　金)	105

購入手数料（付随費用）▶売買目的有価証券の取得原価に含める

＊　@10円×10株＋５円＝105円

A77

有価証券の売却

(未　収　入　金)	60*2	(売買目的有価証券)	75*1
(有価証券売却損)	15		

①売買目的有価証券の売却▶売買目的有価証券の減少▶貸方
＊１　第１回目の取得原価：@10円×10株＝100円
　　第２回目の取得原価：@20円×10株＝200円
　　平均単価：(100円＋200円)÷20株＝@15円
　　売却した株式の帳簿価額：@15円×５株＝75円
②代金は月末に受け取る▶未収入金の増加▶借方
＊２　売却価額：@12円×５株＝60円
③貸借差額▶借方▶有価証券売却損（費用）

ポイント

売却取引の際に分記法では、売買目的有価証券と有価証券売却益（または損）に分けて仕訳します。日商簿記２級では分記法のみ出題されます。

Q78 売買目的有価証券を売却したとき②

重要度 B

チェック □ □ □

当期に1株9円で購入したA社の株式（売買目的有価証券）20株を1株10円で売却し、代金は売却手数料10円を差し引いた金額を現金で受け取った。なお、売却手数料は支払手数料として処理する。また、記帳方法は分記法による。

Q79 売買目的有価証券を売却したとき③

重要度 B

チェック □ □ □

当期に1株9円で購入したA社の株式（売買目的有価証券）20株を1株10円で売却し、代金は売却手数料10円を差し引いた金額を現金で受け取った。なお、売却手数料は有価証券売却損益に含めて処理する。また、記帳方法は分記法による。

Q80 配当金領収証を受け取ったとき

重要度 B

チェック □ □ □

かねてより所有している太平洋株式会社の株式100株について、同社から配当金領収証100円が郵送されてきた。

A78

有価証券の売却

(現　　　　　金)	190 *2	(売買目的有価証券)	180 *1
(支 払 手 数 料)	10	(有価証券売却益)	20 *3

①売買目的有価証券の売却▶売買目的有価証券の減少▶貸方

＊1　売却した株式の帳簿価額：@9円×20株＝180円

②代金は現金で受け取った▶現金の増加▶借方

＊2　売却価額：@10円×20株＝200円

手取額：200円（売却価額）－10円（手数料）＝190円

③売却損益▶売却価額＞帳簿価額▶有価証券売却益(収益)▶貸方

＊3　200円（売却価額）－180円（帳簿価額）＝20円

④売却手数料の支払い▶支払手数料（費用）▶借方

A79

有価証券の売却

(現　　　　　金)	190 *2	(売買目的有価証券)	180 *1
		(有価証券売却益)	10

①売買目的有価証券の売却▶売買目的有価証券の減少▶貸方

＊1　売却した株式の帳簿価額：@9円×20株＝180円

②代金は現金で受け取った▶現金の増加▶借方

＊2　売却価額：@10円×20株＝200円

手取額：200円（売却価額）－10円（手数料）＝190円

③売却手数料は有価証券売却損益に含める(売却益から差し引く)

▶売却損益：200円（売却価額）－180円（帳簿価額）＝20円（売却益）

▶支払手数料：10円（差し引く）

→ 有価証券売却益 10円

A80

配当金

(現　　　　　金)	100	(受 取 配 当 金)	100

①配当金領収証▶通貨代用証券▶現金で処理▶借方

②配当金の受け取り▶受取配当金（収益）▶貸方

ポイント

他人振出小切手、**配当金領収証**、**期限到来済利札**などの通貨代用証券は**現金**として処理します。

あわせてチェック
Q81 期限到来済利札

Q81 公社債利札の期限が到来したとき

重要度 A

チェック □□□

かねてより所有している大西洋株式会社の社債について、社債利札200円の期限が到来した。

Q82 売買目的有価証券の期末評価①

重要度 A

チェック □□□

決算日につき、当期に購入したA社株式（売買目的有価証券）について時価法により評価を行う。

	所有目的	取得原価	時価
A社株式	売買目的	100円	90円

Q83 売買目的有価証券の期末評価②

重要度 A

チェック □□□

決算日につき、当期に購入したB社株式（売買目的有価証券）について時価法により評価を行う。

	所有目的	取得原価	時価
B社株式	売買目的	100円	120円

A 81

有価証券利息

(現　　　　金)	200	(有価証券利息)	200

①期限到来済社債利札▶通貨代用証券▶現金で処理▶借方

②社債利札の期限が到来▶有価証券利息（収益）▶貸方

あわせてチェック
Q80 配当金領収証

売買目的有価証券

(有価証券評価損)	10	(売買目的有価証券)	10

①取得原価100円を時価90円にする▶帳簿価額を10円減らす▶売買目的有価証券の減少▶貸方

②借方▶有価証券評価損（費用）

A 83

売買目的有価証券

(売買目的有価証券)	20	(有価証券評価益)	20

①取得原価100円を時価120円にする▶帳簿価額を20円増やす▶売買目的有価証券の増加▶借方

②貸方▶有価証券評価益（収益）

Q84 満期保有目的債券の購入

重要度 B

チェック □□□

×2年4月1日　沖縄株式会社社債（満期保有目的）1,000円を額面@100円につき@94円で購入し、代金は小切手を振り出して支払った。

Q85 満期保有目的債券の利払日の処理

重要度 A

チェック □□□

×2年9月30日　当期の4月1日（期首）に取得した満期保有目的債券（沖縄株式会社社債）につき、利払日（社債利札の期限）が到来した。

【資　料】

額面金額：1,000円　券面利子率：年1.2%

利払日：毎年9月末日と3月末日の年2回。

Q86 満期保有目的債券の期末評価①

重要度 A

チェック □□□

×3年3月31日　当期の4月1日（期首）に取得した満期保有目的債券（沖縄株式会社社債）につき、決算日に必要な処理を行う（利息の支払いに関する仕訳は不要）。

【資　料】

額面金額：1,000円　取得価額：940円＊

満期日：×8年3月31日　券面利子率：年1.2%

＊　取得価額と額面金額の差額は金利の調整と認められない。

A 84

(満期保有目的債券)	940 *	(当　座　預　金)	940

社債（満期保有目的）の購入▶満期保有目的債券（資産）の増加▶借方

＊　10口 $\left(\frac{1{,}000円}{@100円}\right)$ を@94円で購入→@94円×10口＝940円

満期保有目的債券

A 85

(現　　　　　金)	6	(有価証券利息)	6 *

①期限到来済社債利札▶通貨代用証券▶現金で処理▶借方

②社債利札の期限が到来▶有価証券利息（収益）▶貸方

＊　1,000円×1.2%× $\frac{6か月}{12か月}$ ＝6円

満期保有目的債券

A 86

仕　訳　な　し

取得価額と額面金額の差額は金利の調整と認められない

▶評価替えなし

ポイント

満期保有目的債券は原則として期末に評価替えを行いません。ただし、取得価額と額面金額との差額が**金利の調整と認められるとき**は**償却原価法**によって帳簿価額を調整します。

満期保有目的債券

Q87 満期保有目的債券の期末評価②

重要度 A

チェック □ □ □

×3年3月31日　当期の4月1日（期首）に取得した満期保有目的債券（沖縄株式会社社債）につき、決算日に必要な処理を行う（利息の支払いに関する仕訳は不要）。

【資　料】

額面金額：1,000円　取得価額：940円＊

満期日：×8年3月31日　券面利子率：年1.2%

＊　取得価額と額面金額の差額は金利調整差額と認められ、償却方法は定額法による。

Q88 端数利息の処理（売却と端数利息）

重要度 A

チェック □ □ □

×1年10月18日　かねてより額面@100円につき@96円で購入していた額面1,000円の社債（売買目的有価証券、分記法で処理）を、額面@100円につき@97円で売却し、代金は前利払日の翌日から売買日までの利息とともに小切手で受け取った。なお、この社債は利率年7.3%、利払日は6月末、12月末の年2回で、端数利息は1年を365日として日割計算する。

Q89 端数利息の処理（購入と端数利息）

重要度 A

チェック □ □ □

×1年8月19日　東京株式会社の社債（売買目的有価証券）額面1,000円を額面@100円につき@94円で購入し、代金は前利払日の翌日から売買日までの利息とともに小切手で支払った。なお、この社債は利率年7.3%、利払日は6月末、12月末の年2回で、端数利息は1年を365日として日割計算する。

満期保有目的債券

借方	金額	貸方	金額
(満期保有目的債券)	10＊	(有価証券利息)	10

①取得価額と額面金額の差額は金利調整差額▶償却原価法（定額法）を適用▶額面金額＞取得価額▶満期保有目的債券の帳簿価額に加算▶借方

＊　額面金額－取得価額：1,000円－940円＝60円

当期の償却額：60円÷6年＝10円

（6年：X2年4/1（当期首）～X8年3/31（満期日））

②相手勘定▶有価証券利息（収益）▶貸方

（有価証券利息：金利調整差額の償却→有価証券利息で処理）

A88　端数利息

借方	金額	貸方	金額
(現　　金)	992＊3	(売買目的有価証券)	960＊1
		(有価証券利息)	22＊2
		(有価証券売却益)	10

①社債（売買目的）の売却▶売買目的有価証券の減少▶貸方

＊1　10口$\left(\frac{1{,}000円}{@100円}\right)$を@96円で購入→@96円×10口＝960円

②利息の受け取り▶有価証券利息（収益）▶貸方

＊2　1,000円×7.3％×$\frac{110日}{365日}$＝22円

（110日：31日(7月)＋31日(8月)＋30日(9月)＋18日(10月)）

③小切手で受け取った▶現金の増加▶借方

＊3　@97円×10口＋22円＝992円

④貸借差額▶貸方▶有価証券売却益（収益）

A89　端数利息

借方	金額	貸方	金額
(売買目的有価証券)	940＊1	(当座預金)	950
(有価証券利息)	10＊2		

①社債（売買目的）の購入▶売買目的有価証券の増加▶借方

＊1　10口$\left(\frac{1{,}000円}{@100円}\right)$を@94円で購入→@94円×10口＝940円

②利息の支払い▶有価証券利息（収益）の減少▶借方

＊2　1,000円×7.3％×$\frac{50日}{365日}$＝10円

（50日：31日(7月)＋19日(8月)）

Q90 子会社株式を取得したとき

重要度 B

チェック

×1年4月1日（当期首）にA社はB社株式3株を@100円で購入し、購入手数料10円とともに普通預金口座から支払った。なお、B社の発行済株式総数は5株である。

Q91 子会社株式の期末評価

重要度 A

チェック

決算につき、Q90で取得したB社株式（子会社株式）について、下記資料にもとづき必要な処理を行う。

【資　料】

当期末におけるB社株式（子会社株式）の時価は300円である。

Q92 その他有価証券を取得したとき

チェック

A社はC社株式（その他有価証券）5株を@100円で購入し、代金は購入手数料10円とともに4営業日後に支払うこととした。

A 90

(子会社株式)	310*	(普通預金)	310

①子会社株式の購入▶子会社株式（資産）の増加▶借方

＊　@100円×３株＋10円＝310円
　　　　　　　　　購入手数料

②普通預金による購入代金の支払い▶普通預金（資産）の減少▶貸方

ポイント

Ｂ社の発行済株式**５株のうち３株（過半数）を取得**しているため、Ｂ社株式は**子会社株式に分類**されます。

子会社株式

A 91

仕訳なし

子会社株式は、取得原価をもって貸借対照表価額とするため、時価評価しません。したがって、「仕訳なし」となります。

ポイント

子会社株式は会社の支配を目的として長期間所有されることから、時価の変動を認識する必要がないため、**取得原価をもって貸借対照表価額**とします。

子会社株式

A 92

(その他有価証券)	510*	(未払金)	510

①その他有価証券の購入▶その他有価証券(資産)の増加▶借方

＊　@100円×５株＋10円＝510円
　　　　　　　　　購入手数料

②有価証券の購入代金を後日支払う▶未払金（負債）の増加▶貸方

ポイント

「その他有価証券」とは、売買目的有価証券、満期保有目的債券、子会社株式・関連会社株式**以外**の有価証券をいいます。

その他有価証券

Q93 その他有価証券の期末評価(評価差益)

重要度 A

チェック □ □ □

決算につき、Q92で取得したC社株式（その他有価証券）について、全部純資産直入法を適用した場合に、下記資料にもとづき必要な処理を行う。

【資　料】

当期末におけるC社株式（その他有価証券）の時価は530円である。

Q94 その他有価証券の期末評価(評価差損)

重要度 A

チェック □ □ □

決算につき、Q92で取得したC社株式（その他有価証券）について、全部純資産直入法を適用した場合に、下記資料にもとづき必要な処理を行う。

【資　料】

当期末におけるC社株式（その他有価証券）の時価は500円である。

Q95 貸倒引当金を設定したとき①

重要度 A

チェック □ □ □

売掛金の期末残高1,000円に対して、２％の貸倒れを見積る。なお、貸倒引当金の期末残高は15円であり、差額補充法により貸倒引当金を設定する。

A 93

その他有価証券

（その他有価証券）	20	（その他有価証券評価差額金）	20＊

取得原価：510円＜期末時価：530円▶評価差益

▶その他有価証券評価差額金（純資産）の増加▶貸方

＊　530円－510円＝20円（評価差益）
　　期末時価　取得原価

ポイント

全部純資産直入法とは、**「評価差額」の合計額**を**貸借対照表の純資産の部**に「その他有価証券評価差額金」として計上する方法です。

A 94

その他有価証券

（その他有価証券評価差額金）	10＊	（その他有価証券）	10

取得原価：510円＞期末時価：500円▶評価差損

▶その他有価証券評価差額金（純資産）の減少▶借方

＊　500円－510円＝△10円（評価差損）
　　期末時価　取得原価

ポイント

全部純資産直入法において、評価差額が評価差損となっている場合、貸借対照表の純資産の部にその他有価証券評価差額金を「△」を付けてマイナス表示します。

A 95

貸倒引当金

（貸倒引当金繰入）	5	（貸倒引当金）	5

①当期に設定する貸倒引当金：1,000円×２％＝20円

期末貸倒引当金残高：15円

↓

貸倒引当金が20円になるように差額５円を加算

▶貸倒引当金の増加▶貸方
資産のマイナス項目

②借方▶貸倒引当金繰入（費用）

Q96 貸倒引当金を設定したとき②

重要度 A

チェック

決算につき、売掛金500円に対して、実績率法により期末残高の２％について貸倒引当金を設定する。上記のほかにＡ社に対する売掛金200円があり、これは個別に期末残高の50％を貸倒引当金として設定する。なお、決算整理前残高試算表には貸倒引当金20円があり、差額補充法により貸倒引当金を設定する。

Q97 貸倒引当金を設定したとき③

重要度 B

チェック

売掛金の期末残高800円に対し２％の貸倒れを見積る。なお、貸倒引当金の残高が10円あり、洗替法により貸倒引当金を設定する。

Q98 債権が貸し倒れたとき①

重要度 A

チェック

得意先鳥取株式会社が倒産し、売掛金（当期に発生）100円が回収不能となった。なお、貸倒引当金の期末残高は150円である。

A 96

貸倒引当金

(貸倒引当金繰入)	90	(貸 倒 引 当 金)	90

①貸倒見積額（当期に設定すべき貸倒引当金）の算定

500円×２％＝10円
売掛金

200円×50％＝100円
Ａ社売掛金

貸倒見積額合計：10円＋100円＝110円

②貸倒引当金繰入額

110円 － 20円＝90円（繰入）
貸倒見積額　貸倒引当金（試算表）

A 97

貸倒引当金

(貸 倒 引 当 金)	10	(貸倒引当金戻入)	10
(貸倒引当金繰入)	16 *	(貸 倒 引 当 金)	16

①取崩額＝貸倒引当金の残高10円

②貸倒見積額（＝繰入額）の算定

＊　800円×２％＝16円

ポイント

前期末の引当金の取崩額は、原則として損益計算書の「営業外収益」の区分に表示します。

A 98

貸倒引当金

(貸 倒 損 失)	100	(売 掛 金)	100

①売掛金が回収不能となった▶売掛金の減少▶貸方

②当期の売掛金の貸倒れ▶貸倒損失（費用）▶借方
当期の債権にはまだ貸倒引当金は設定されていない
→貸倒引当金は取り崩せない

ポイント

当期に生じた売掛金の貸倒れ…全額、**貸倒損失**で処理

Q99 債権が貸し倒れたとき②

重要度 A

チェック □ □ □

得意先佐賀株式会社が倒産し、売掛金（前期に発生）100円が回収不能となった。なお、貸倒引当金の期末残高は15円である。

Q100 貸倒引当金を設定したとき（戻入）

重要度 B

チェック □ □ □

決算につき、売掛金1,000円に対して、実績率法により期末残高の２％について貸倒引当金を設定する。なお、決算整理前残高試算表の貸倒引当金は25円であった。

Q101 修繕引当金を設定したとき

重要度 A

チェック □ □ □

決算にあたり、修繕引当金の当期繰入額200円を計上する。

A99
貸倒引当金

(貸倒引当金)	15	(売掛金)	100
(貸倒損失)	85		

前期の売掛金の貸倒れ（貸倒引当金が設定してある）
- 貸倒引当金の減少▶借方
- 貸倒引当金を超える分▶貸倒損失（費用）▶借方

ポイント

前期に生じた債権の貸倒れ…**貸倒引当金**を減額し、それを超える分は**貸倒損失**で処理

A100
貸倒引当金

(貸倒引当金)	5	(貸倒引当金戻入)	5

①貸倒見積額（当期に設定すべき貸倒引当金）の算定

1,000円（売掛金）×２％＝20円

②貸倒引当金戻入額

20円（貸倒見積額） － 25円（貸倒引当金(試算表)）＝△5円（戻入）

ポイント

貸倒見積額よりも貸倒引当金の残高が**大きい**場合に貸倒引当金の戻入が発生します。

A101
修繕引当金

(修繕引当金繰入)	200	(修繕引当金)	200

①修繕引当金の設定▶修繕引当金（負債）の増加▶貸方

②借方▶修繕引当金繰入（費用）

Q102 修繕費を支払ったとき

重要度 A

チェック □ □ □

機械装置の修繕を行い、修繕費500円を小切手を振り出して支払った。なお、前期末に計上した修繕引当金が200円ある。

Q103 支出額に資本的支出が含まれているとき

重要度 A

チェック □ □ □

機械装置の定期修繕と改良を行い、代金900円は小切手を振り出して支払った。代金のうち600円は耐用年数を延長させるための改良であり、残額は定期修繕のための費用である。なお、この修繕のために修繕引当金が200円設定されている。

Q104 退職給付引当金を設定したとき

重要度 A

チェック □ □ □

決算にあたり、退職給付引当金の当期繰入額200円を計上する。

A 102

修繕引当金

（修繕引当金）	200	（当座預金）	500
（修繕費）	300		

①小切手の振り出し▶当座預金の減少▶貸方

②修繕費▶
- 修繕引当金（負債）の減少▶借方
- 修繕引当金を超える分▶修繕費（費用）▶借方

A 103

修繕引当金

（機械装置）	600	（当座預金）	900
（修繕引当金）	200		
（修繕費）	100 *		

①耐用年数を延長させるための改良▶有形固定資産（機械装置）の取得原価として処理

②修繕費▶
- 修繕引当金（負債）の減少▶借方
- 修繕引当金を超える分▶修繕費（費用）▶借方

＊　900円－(600円＋200円)＝100円

☑あわせてチェック
Q59 改良と修繕

A 104

退職給付引当金

（退職給付費用）	200	（退職給付引当金）	200

①退職給付引当金の繰り入れ
▶退職給付引当金（負債）の増加▶貸方

②借方▶退職給付費用（費用）

Q105 退職金を支払ったとき

チェック

従業員が退職したので、退職金150円を小切手を振り出して支払った。なお、退職給付引当金は500円ある。

Q106 商品保証引当金を設定したとき

チェック

決算につき、品質保証付商品の販売高10,000円に対して１％の保証費用を見積った。なお、商品保証引当金の決算整理前残高はゼロである。

Q107 商品保証引当金を取り崩したとき

前期に販売した品質保証付商品につき、修理の申し出があったので修理業者に依頼するとともに、修理代金50円について小切手を振り出して支払った。なお、商品保証引当金100円がある。

A 105

退職給付引当金

(退職給付引当金)	150	(当　座　預　金)	150

退職金の支払い▶退職給付引当金（負債）の減少▶借方

A 106

商品保証引当金

(商品保証引当金繰入)	100＊	(商品保証引当金)	100

①商品保証引当金の設定▶商品保証引当金（負債）の増加▶貸方

②借方▶商品保証引当金繰入（費用）

＊　10,000円（販売高）×1％（設定率）＝100円

A 107

商品保証引当金

(商品保証引当金)	50	(当　座　預　金)	50

①小切手の振り出し▶当座預金（資産）の減少▶貸方

②商品保証引当金の取り崩し▶商品保証引当金（負債）の減少▶借方

ポイント

商品保証引当金を設定した販売商品について修理を行ったときは、商品保証引当金を取り崩します。

Q108 賞与引当金を設定したとき

重要度 A

チェック □□□

決算（３月末）にあたり、次期の６月に支給する賞与600円について、賞与引当金を設定する。なお、当社は年２回（６月と12月）賞与を支給しており、その計算期間は12月１日から５月末までの分を６月に支給している。

Q109 賞与引当金を取り崩したとき

重要度 A

チェック □□□

６月20日　従業員に対して賞与600円を現金で支給した。なお、前期末に計上した賞与引当金が400円ある。

Q110 役員賞与引当金を設定したとき

重要度 A

チェック □□□

決算にあたり、役員賞与引当金の当期繰入額を100円計上する。

A108

（賞与引当金繰入）	400*	（賞 与 引 当 金）	400

①賞与引当金の設定▶賞与引当金（負債）の増加▶貸方

②借方▶賞与引当金繰入（費用）

＊　600円×$\frac{4か月（12月〜3月）}{6か月（12月〜5月）}$＝400円

賞与引当金

A109

（賞 与 引 当 金）	400	（現　　　金）	600
（賞　　　与）	200		

①賞与のうち前期負担部分：400円
　▶賞与引当金（負債）の減少▶借方

②賞与のうち当期負担部分：600円−400円＝200円
　▶賞与（費用）の増加▶借方

ポイント

賞与を支給したときは、前期に計上した賞与引当金を取り崩し、**当期に属する賞与は、賞与（費用）**として計上します。

賞与引当金

A110

（役員賞与引当金繰入）	100	（役員賞与引当金）	100

①役員賞与引当金の設定▶役員賞与引当金（負債）の増加▶貸方

②借方▶役員賞与引当金繰入（費用）

役員賞与引当金

Q111 役員賞与引当金を取り崩したとき

重要度 A

チェック □□□

役員に対して賞与100円を小切手を振り出して支払った。なお、前期末に計上した役員賞与引当金が100円ある。

Q112 株式会社を設立したとき(原則処理)

重要度 A

チェック □□□

川崎商事株式会社は、会社の設立にあたり、株式10株を1株の払込金額10円で発行し、全株式について現金での払い込みを受けた。

Q113 株式会社を設立したとき(容認処理)

重要度 A

チェック □□□

川崎商事株式会社は、会社の設立にあたり、株式10株を1株の払込金額10円で発行し、全株式について現金での払い込みを受けた。なお、払込金額のうち「会社法」で認められている最低額を資本金とすることとした。

A111

役員賞与引当金

(役員賞与引当金)	100	(当　座　預　金)	100

①小切手の振り出し▶当座預金（資産）の減少▶貸方

②役員賞与引当金の取り崩し▶役員賞与引当金（負債）の減少▶借方

A112

純資産

(現　　　　金)	100	(資　　本　　金)	100*

株式を発行し、払い込みを受けた▶資本金（純資産）の増加▶貸方

＊　@10円×10株＝100円

ポイント

特に指示がない場合は払込金額の**全額を資本金**として処理します（原則処理）。

あわせてチェック
Q113 容認処理

A113

純資産

(現　　　　金)	100	(資　　本　　金)	50*
		(資 本 準 備 金)	50

①「会社法」で認められている最低額▶最低２分の１を資本金

＊　@10円×10株×$\frac{1}{2}$＝50円

②残額は資本準備金

ポイント

払込金額のうち**最低２分の１を資本金**とし、**残額を資本準備金**とすることが容認されています。

原則	全額資本金
容認	最低2分の1を資本金（残額は資本準備金）

あわせてチェック
Q112 原則処理

Q114 株式申込証拠金を受け取ったとき

重要度 B

チェック □□□

関西株式会社は、取締役会の決議により、未発行株式のうち10株を1株の払込金額10円で募集したところ、申込期日までに全株式が申し込まれた。なお、払込金額の全額を申込証拠金として受け入れ、別段預金とした。

Q115 払込期日になったとき

重要度 B

チェック □□□

関西株式会社は、申込証拠金100円を払込金額に充当し、払込期日に資本金に振り替え、同時に別段預金を当座預金に預け入れた。なお、払込金額のうち「会社法」で認められている最低額を資本金とすることとした。

Q116 株主資本の計数変動（準備金から剰余金への振り替え）

重要度 B

チェック □□□

株主総会の決議により、資本準備金500円および利益準備金300円を取り崩し、それぞれ、その他資本剰余金および繰越利益剰余金に振り替えた。

A 114　純資産

借方	金額	貸方	金額
(別　段　預　金)	100*	(株式申込証拠金)	100

①払込金額を別段預金とした▶別段預金（資産）の増加▶借方

＊　@10円×10株＝100円

②申込証拠金として受け入れ

▶株式申込証拠金（純資産）の増加▶貸方

ポイント

払込金額は、払込期日までは**株式申込証拠金**や**別段預金**で処理しておきます。

A 115　純資産

借方	金額	貸方	金額
(株式申込証拠金)	100	(資　本　金)	50*
		(資本準備金)	50
(当　座　預　金)	100	(別　段　預　金)	100

①申込証拠金を資本金に振り替え

・株式申込証拠金の減少▶借方

・払込金額のうち２分の１▶資本金の増加▶貸方

＊　$100円 \times \frac{1}{2} = 50円$

・残額▶資本準備金▶貸方

②別段預金を当座預金に預け入れた▶｛別段預金の減少▶貸方／当座預金の増加▶借方｝

A 116　純資産

借方	金額	貸方	金額
(資本準備金)	500	(その他資本剰余金)	500
(利益準備金)	300	(繰越利益剰余金)	300

①資本準備金の振り替え

▶｛資本準備金（純資産）の減少▶借方／その他資本剰余金（純資産）の増加▶貸方｝

②利益準備金の振り替え

▶｛利益準備金（純資産）の減少▶借方／繰越利益剰余金（純資産）の増加▶貸方｝

Q117 会社を吸収合併したとき

重要度 A

チェック □ □ □

A社はB社を吸収合併し、B社の株主に対して新株（資本金とする額は70円）を交付した。

【資　料】

・合併直前のB社の資産・負債の公正な価値（時価）は諸資産200円、諸負債150円である。

・A社株式の時価は70円でB社の取得にともなう取得原価はA社株式の時価を用いるものとする。

Q118 決算時の処理（のれんの償却）

重要度 A

チェック □ □ □

決算にあたり、借方ののれん（20円）を償却する。こののれんは当期首にB社を吸収合併した際に計上したものである。なお、のれんは20年にわたって毎期均等額を償却する。

Q119 無形固定資産を取得したとき

重要度 A

チェック □ □ □

特許権を800円で取得し、代金は現金で支払った。

A 117

合併

(諸資産)	200*	(諸負債)	150*
(のれん)	20	(資本金)	70

①諸資産、諸負債の受け入れ▶諸資産、諸負債の増加

＊　時価

②資本金とする額は70円▶資本金70円▶貸方

③貸借差額▶借方▶のれん（資産）
無形固定資産

A 118

合併

(のれん償却)	1*	(のれん)	1

①借方ののれんの償却▶のれん（資産）の減少▶貸方

②借方▶のれん償却（費用）

＊　20円÷20年＝1円

A 119

特許権

(特許権)	800	(現金)	800

①現金を支払った▶現金の減少▶貸方

②特許権を取得した▶特許権（資産）の増加▶借方
無形固定資産

Q 120 決算時の処理(特許権の償却)

重要度 A

チェック □ □ □

決算にあたり、当期首に取得した特許権800円を８年で月割償却する。

Q 121 自社利用ソフトウェアの取得

重要度 A

チェック □ □ □

×１年度期首に自社利用する目的でソフトウェアを100円で購入し現金で支払った。

Q 122 自社利用のソフトウェアの代金(一部)を支払ったとき

重要度 A

チェック □ □ □

自社利用目的のソフトウェアについて外部に開発を依頼し、開発費用の一部である500円を現金で支払った。

A 120

特許権

(特許権償却)	100*	(特　許　権)	100

①特許権の償却▶特許権（資産）の減少▶貸方
②借方▶特許権償却（費用）
＊　800円÷8年＝100円

ポイント
無形固定資産の償却期間は問題文に与えられるので、覚える必要はありませんが、**のれんの最長償却期間が20年**であることだけおさえておいてください。

A 121

ソフトウェア

(ソフトウェア)	100	(現　　金)	100

自社利用ソフトウェアの取得▶ソフトウェア（資産）の増加▶借方

A 122

ソフトウェア

(ソフトウェア仮勘定)	500	(現　　金)	500

①現金で支払い▶現金の減少▶貸方
②ソフトウェアは開発中▶ソフトウェア仮勘定（資産）の増加▶借方

ポイント
建設仮勘定と同じように考えましょう。

☑あわせてチェック
Q57 建設仮勘定

Q123 自社利用のソフトウェアが完成したとき

重要度 A

チェック □ □ □

外部に開発を依頼していた自社利用目的のソフトウェア（開発費用1,500円は全額支払済み）が完成し、使用を開始したため、ソフトウェア勘定に振り替えた。

Q124 自社利用ソフトウェアの償却

重要度 A

チェック □ □ □

×１年度決算につき、当期首に100円で購入した自社利用のソフトウェアを償却する。利用可能期間は当期首から５年と見積られた。

Q125 研究開発費が発生したとき

重要度 A

チェック □ □ □

外部に委託していた新製品研究のための委託費50円、および新製品開発のために特別仕様に変更した機械装置150円の購入代金を小切手を振り出して支払った。なお、この機械装置については他の目的には転用できない仕様である。

A 123

ソフトウェア

(ソフトウェア) 1,500	(ソフトウェア仮勘定) 1,500

①ソフトウェアが完成▶ソフトウェア仮勘定（資産）の減少▶貸方
②ソフトウェア勘定に振り替え▶ソフトウェア（資産）の増加▶借方

ポイント

建設仮勘定と同じように考えましょう。

☑あわせてチェック
Q58 建設仮勘定

A 124

ソフトウェア

(ソフトウェア償却) 20*	(ソフトウェア) 20

①ソフトウェアの償却▶ソフトウェア償却（費用）の増加▶借方

* 100円（ソフトウェア取得原価） ÷ 5年（利用可能期間） ＝ 20円

②直接法による記帳▶ソフトウェア（資産）の減少▶貸方

ポイント

自社利用のソフトウェアは、利用可能期間（原則として5年以内）にもとづき、原則として定額法により償却し、直接法で記帳します。

A 125

研究開発費

(研究開発費) 200*	(当座預金) 200

①研究開発費の計上
▶研究開発費（費用）の増加▶借方

* 50円（委託費用）＋150円（機械）＝200円

②小切手の振り出し▶当座預金（資産）の減少▶貸方

Q126 法定福利費

重要度 A

チェック □□□

従業員の所得税の源泉徴収額50円と社会保険料の預り金100円に、企業負担分の社会保険料100円を合わせて現金で納付した。

Q127 貯蔵品勘定への振り替え

重要度 A

チェック □□□

本日決算につき、郵便切手の未使用分100円と収入印紙の未使用分200円を貯蔵品勘定へ振り替える。

Q128 会社設立時の株式発行費用の処理

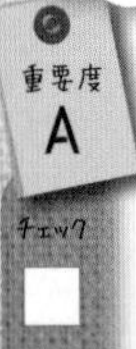

チェック □□□

朝日株式会社は、会社の設立にあたり、株式20株を１株10円で発行し、全株式の払い込みを受け、払込金額は普通預金とした。なお、株式発行のための費用10円は現金で支払った。

A 126

法定福利費

(所得税預り金)	50	(現　　　金)	250
(社会保険料預り金)	100		
(法定福利費)	100		

①従業員の所得税の源泉徴収額の納付▶所得税預り金（負債）の減少▶借方

②社会保険料の納付

- 従業員負担分▶社会保険料預り金（負債）の減少▶借方
- 会社負担分▶法定福利費（費用）の増加▶借方

③現金での納付▶現金の減少▶貸方

A 127

貯蔵品

(貯　蔵　品)	300	(通　信　費)	100
		(租税公課)	200

①郵便切手の未使用分▶通信費（費用）の減少▶貸方

②収入印紙の未使用分▶租税公課（費用）の減少▶貸方

③貯蔵品勘定への振り替え▶貯蔵品（資産）の増加▶借方

ポイント

当期末に繰り越された貯蔵品は、次期の期首に再振替仕訳を行い、通信費勘定と租税公課勘定へ振り替えます。

A 128

株式の発行

(普通預金)	200	(資　本　金)	200*
(創　立　費)	10	(現　　　金)	10

①資本金について指示なし▶原則（全額資本金）処理▶貸方

　＊　@10円×20株＝200円

②設立時における株式発行費用▶創立費（費用）で処理▶借方

ポイント

会社設立時の株式発行費用は**創立費**で処理します。

☑あわせてチェック

Q129 増資時の場合

Q129 増資時の株式発行費用の処理

重要度 A

チェック □ □ □

太陽株式会社は、取締役会の決議により、未発行株式のうち20株を1株10円で発行し、全株式の払い込みを受け、払込金額は当座預金とした。なお、株式発行のための費用12円は現金で支払った。

Q130 法人税等を中間申告・納付したとき

重要度 A

チェック □ □ □

桜島株式会社（決算年1回、3月31日）は、法人税の中間申告を行い、税額100円を小切手を振り出して納付した。

Q131 法人税等が確定したとき（決算時）

重要度 A

チェック □ □ □

桜島株式会社では、決算の結果、確定した税引前当期純利益について法人税等が220円と計算された。なお、この金額から中間納付額100円を控除した金額を未払分として計上した。

A129

株式の発行

(当座預金)	200	(資本金)	200
(株式交付費)	12	(現金)	12

増資時における株式発行費用▶株式交付費（費用）で処理▶借方

ポイント

会社設立後の**増資時における株式発行費用**は**株式交付費**で処理します。

会社設立時	創立費
増資時	株式交付費

☑あわせてチェック
Q128 設立時の場合

A130

法人税等

(仮払法人税等)	100	(当座預金)	100

中間申告・納付▶法人税等の仮払い▶仮払法人税等（資産）の増加▶借方

A131

法人税等

(法人税、住民税及び事業税)	220	(仮払法人税等)	100
		(未払法人税等)	120*

①法人税等の確定▶法人税、住民税及び事業税（費用）▶借方

②中間納付額を控除▶仮払法人税等（資産）の減少▶貸方

③未払分として計上▶未払法人税等（負債）の増加▶貸方

＊　220円－100円＝120円

Q132 法人税等を申告・納付したとき

重要度 A

チェック □□□

桜島株式会社は、法人税について確定申告を行い、未払分120円を小切手を振り出して納付した。

Q133 法人税等の算定（課税所得の算定）

重要度 B

チェック □□□

課税所得に対して40％の法人税等を計上する。
〔税引前当期純利益〕500円
〔会計上と税務上の差異〕
①損金不算入のもの
・売掛金1,000円に対し設定した10円の貸倒引当金及び減価償却費80円のうち40円
②益金不算入のもの
・受取配当金100円

Q134 消費税を支払ったとき（税抜方式）

重要度 A

チェック □□□

商品を110円（税込価額）で仕入れ、代金は現金で支払った。なお、消費税率は10％であり、税抜方式によって処理する。

A 132

法人税等

（未払法人税等）	120	（当　座　預　金）	120

未払法人税の納付▶未払法人税等（負債）の減少▶借方

A 133

法人税等

（法人税、住民税及び事業税）	180	（未払法人税等）	180

課税所得金額の計算

①損金不算入▶税引前当期純利益に加算

税引前当期純利益500円＋貸倒引当金10円+減価償却費40円＝550円

②益金不算入▶税引前当期純利益から減算

550円（①）－受取配当金100円＝450円

③法人税等（費用）の計算

課税所得450円×40％＝180円

A 134

消費税

（仕　　　　入）	100 *1	（現　　　　金）	110
（仮払消費税）	10 *2		

①税抜方式▶税抜価額で仕入（費用）を計上▶借方

＊1　110円×$\frac{100}{110}$＝100円

②消費税の支払い（この時点では仮払い）▶仮払消費税（資産）▶借方

＊2　100円×10％＝10円

ポイント

税抜方式は税抜価額で仕入や売上を計上します。

Q135 消費税を受け取ったとき（税抜方式）

重要度 A

チェック

商品を330円（税込価額）で売り上げ、代金は現金で受け取った。なお、消費税率は10％であり、税抜方式によって処理する。

Q136 決算時の処理（消費税：税抜方式）①

重要度 A

チェック

本日決算につき、仮払消費税10円と仮受消費税30円を相殺し、納付額を確定する。なお、消費税率は10％であり、税抜方式によって処理している。

Q137 決算時の処理（消費税：税抜方式）②

重要度 A

チェック

本日決算につき、仮払消費税40円と仮受消費税30円を相殺し、納付額を確定する。なお、消費税率は10％であり、税抜方式によって処理している。

A 135 消費税

(現　　　金)	330	(売　　　上)	300 *1
		(仮受消費税)	30 *2

①税抜方式▶税抜価額で売上（収益）を計上▶貸方

＊1　330円×$\frac{100}{110}$＝300円

②消費税の受け取り（この時点では仮受け）▶仮受消費税（負債）▶貸方

＊2　300円×10％＝30円

ポイント

税抜方式は税抜価額で仕入や売上を計上します。

A 136 消費税

(仮受消費税)	30	(仮払消費税)	10
		(未払消費税)	20

①仮払消費税と仮受消費税の相殺

- 仮払消費税（資産）の減少▶貸方
- 仮受消費税（負債）の減少▶借方

②貸借差額▶貸方▶未払消費税（負債）

ポイント

税抜方式は決算において仮払消費税と仮受消費税を相殺します。

A 137 消費税

(仮受消費税)	30	(仮払消費税)	40
(未収還付消費税)	10		

①仮払消費税と仮受消費税の相殺

- 仮払消費税（資産）の減少▶貸方
- 仮受消費税（負債）の減少▶借方

②貸借差額▶借方▶未収還付消費税（資産）

Q138 消費税を納付したとき

チェック

本日納付期限につき、未払消費税額20円を小切手を振り出して納付した。

Q139 消費税の還付を受けたとき

重要度
B

チェック

本日、税務署より未収消費税額10円の還付を受け、ただちに当座預金口座に預け入れた。

Q140 当期純利益を振り替えたとき

チェック

浅間物産株式会社は、第１期決算において当期純利益200円を計上した。損益勘定から繰越利益剰余金勘定に振り替えなさい。

A 138

(未払消費税)	20	(当座預金)	20

未払消費税の納付▶未払消費税（負債）の減少▶借方

消費税

A 139

(当座預金)	10	(未収還付消費税)	10

未収消費税額の受け取り▶未収還付消費税（資産）の減少▶貸方

消費税

A 140

(損益)	200	(繰越利益剰余金)	200

①当期純利益▶純資産の増加▶繰越利益剰余金（純資産）の増加▶貸方

②相手勘定▶損益▶借方

繰越利益剰余金

	××
	200

損益

費用	××	収益	××
当期純利益	200		

（繰越利益剰余金の200 ◀— 損益の当期純利益200）

剰余金の処分、配当

Q141 利益剰余金を配当・処分したとき

重要度 A

チェック

×２年６月28日　浅間物産株式会社の第１期の株主総会において、繰越利益剰余金200円が次のように配当および処分され、残額は次回の剰余金の処分まで繰り越した。

利益準備金　10円　株主配当金　100円
別途積立金　20円

Q142 株主配当金を支払ったとき

重要度 A

チェック

株主配当金100円（未払配当金）を小切手を振り出して支払った。

Q143 資本剰余金からの配当

重要度 B

チェック

その他資本剰余金150円のうち100円を配当し、10円を資本準備金とすることが株主総会で決議された。

A 141

(繰越利益剰余金)	130*	(利益準備金)	10
		(未払配当金)	100
		(別途積立金)	20

繰越利益剰余金の処分▶繰越利益剰余金（純資産）の減少▶借方

＊　10円＋100円＋20円＝130円

ポイント

株主総会において剰余金の配当が決定したとき、配当金の支払義務が確定する（支払いは後日）ため、**未払配当金（負債）**で処理します。

A 142

(未払配当金)	100	(当座預金)	100

株主配当金の支払い▶未払配当金（負債）の減少▶借方

A 143

(その他資本剰余金)	110	(資本準備金)	10
		(未払配当金)	100

①その他資本剰余金（純資産）の減少▶借方

②資本準備金（純資産）の増加▶貸方

③未払配当金（負債）の増加▶貸方

Q144 利益準備金積立額の計算①

重要度 A

チェック □□□

×３年６月25日　定時株主総会において、繰越利益剰余金400円を次のとおり配当、処分することが承認された。

利益準備金　各自計算　株主配当金　200円

なお、×３年３月31日（決算日）現在の資本金は1,000円、資本準備金は40円、利益準備金は60円であった。

Q145 利益準備金積立額の計算②

重要度 B

チェック □□□

×３年６月25日　定時株主総会において、繰越利益剰余金400円を次のとおり配当、処分することが承認された。

利益準備金　各自計算　株主配当金　200円
別途積立金　50円

なお、×３年３月31日（決算日）現在の資本金は1,000円、資本準備金は100円、利益準備金は140円であった。

Q146 当期純損失を振り替えたとき

重要度 A

チェック □□□

赤城商事株式会社は、第２期決算において当期純損失100円を計上した。損益勘定から繰越利益剰余金勘定に振り替えなさい。

A 144

剰余金の処分、配当

(繰越利益剰余金)	220	(未払配当金)	200
		(利益準備金)	20*

* ①資本金の4分の1：1,000円×$\frac{1}{4}$=250円

②資本準備金＋利益準備金：40円＋60円＝100円

③利益準備金積立限度額：250円－100円＝150円

あと150円まで利益準備金を積み立てられる

④株主配当金の10分の1：200円×$\frac{1}{10}$=20円

計算上、積み立てるべき利益準備金は20円

⑤③＞④→利益準備金積立額は20円

20円を積み立てても限度額を超えない

A 145

剰余金の処分、配当

(繰越利益剰余金)	260	(未払配当金)	200
		(別途積立金)	50
		(利益準備金)	10*

* ①資本金の4分の1：1,000円×$\frac{1}{4}$=250円

②資本準備金＋利益準備金：100円＋140円＝240円

③利益準備金積立限度額：250円－240円＝10円

あと10円まで利益準備金を積み立てられる

④株主配当金の10分の1：200円×$\frac{1}{10}$=20円

計算上、積み立てるべき利益準備金は20円

⑤③＜④→利益準備金積立額は10円

10円しか積み立てられない

A 146

剰余金の処分、配当

(繰越利益剰余金)	100	(損益)	100

①当期純損失▶純資産の減少▶繰越利益剰余金（純資産）の減少▶借方

②相手勘定▶損益▶貸方

繰越利益剰余金

借方	貸方
100 ←	××

損益

借方		貸方	
費用	××	収益	××
		当期純損失	100

Q147 損失を補てんしたとき

重要度 A

チェック □□□

株主総会において、繰越利益剰余金の借方残高（マイナス）100円を別途積立金80円を取り崩して補てんし、残額は次期に繰り越すこととした。

Q148 手形を裏書きしたとき

重要度 B

チェック □□□

徳島株式会社は高知株式会社に対する買掛金について、愛媛株式会社振出の約束手形100円を裏書きして譲渡した。

Q149 手形を裏書きされたとき

重要度 A

チェック □□□

高知株式会社は徳島株式会社に対する売掛金について、愛媛株式会社振出、徳島株式会社宛の約束手形100円を裏書きされた。

A 147 剰余金の処分、配当

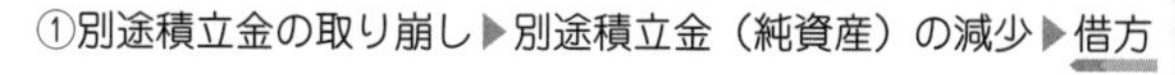

(別途積立金)	80	(繰越利益剰余金)	80*

①別途積立金の取り崩し▶別途積立金（純資産）の減少▶借方

②繰越利益剰余金の借方残高の補てん▶繰越利益剰余金（純資産）の増加▶貸方

* 別途積立金の取崩額と同額だけ補てん

A 148 手形の裏書き

(買掛金)	100	(受取手形)	100

手形の裏書き

・買掛金の支払い▶買掛金の減少▶借方

・約束手形の裏書譲渡▶受取手形の減少▶貸方

A 149 手形の裏書き

(受取手形)	100	(売掛金)	100

①売掛金の回収▶売掛金の減少▶貸方

②手形が裏書譲渡された▶受取手形の増加▶借方

ポイント

他社が振り出した約束手形を受け取っているので、取引先が振り出した約束手形でなくとも受取手形で処理します。

Q150 裏書きされた手形が決済されたとき

重要度 A

チェック □□□

高知株式会社は徳島株式会社より売掛金の回収として受け取っていた愛媛株式会社振出の約束手形100円につき、取引銀行に取り立てを依頼していたが、本日、支払期日となり、当座預金口座に入金された旨の連絡を受け取った。

Q151 自己振出の手形を受け取ったとき

重要度 A

チェック □□□

福岡株式会社は仙台株式会社に商品100円を販売し、代金としてかねて当社が振り出した約束手形100円を受け取った。

Q152 手形を割り引いたとき

重要度 B

チェック □□□

鳥取株式会社は得意先山口株式会社から受け取っていた同社振出の約束手形100円を銀行で割り引き、割引料10円を差し引いた残額を当座預金とした。

A 150

手形の裏書き

(当座預金) 100	(受取手形) 100

①当座預金口座に入金▶当座預金の増加▶借方

②裏書きされた手形が決済▶受取手形の減少▶貸方

A 151

自己振出手形

(支払手形) 100	(売上) 100

①商品の販売▶売上の増加▶貸方

②当社振出の手形を受け取った▶支払手形の減少▶借方
振り出したときに
支払手形の増加として
処理している

ポイント

過去に自社が振り出した約束手形が戻ってきたという取引です。

A 152

手形の割引き

(手形売却損) 10	(受取手形) 100
(当座預金) 90	

手形の割引き

・約束手形の割引き▶受取手形の減少▶貸方
・割引料▶手形売却損（費用）▶借方
・残額は当座預金▶当座預金の増加▶借方

Q153 手形が不渡りになったとき

重要度 A

チェック □□□

得意先鹿島株式会社から受け取った同社振出の約束手形100円の満期日が到来したが、取引銀行より不渡りとなった旨の連絡があった。

Q154 不渡手形が回収できたとき

重要度 A

チェック □□□

不渡手形100円が現金で回収できた。

Q155 不渡手形が回収できなかったとき

重要度 A

チェック □□□

不渡手形100円が回収できなくなった。なお、貸倒引当金の残高は60円である。

A 153

(不渡手形)	100	(受取手形)	100

手形の不渡り▶
- 受取手形の減少▶貸方
- 不渡手形（資産）の増加▶借方

手形の不渡り

A 154

(現金)	100	(不渡手形)	100

①現金で回収▶現金の増加▶借方

②不渡手形の回収▶不渡手形（資産）の減少▶貸方

手形の不渡り

A 155

(貸倒引当金)	60	(不渡手形)	100
(貸倒損失)	40		

①不渡手形が回収不能▶不渡手形（資産）の減少▶貸方

②債権の貸倒れ▶
- 貸倒引当金の減少▶借方
- 貸倒引当金を超える分▶貸倒損失（費用）▶借方

手形の不渡り

Q156 裏書きされた手形が不渡りとなったとき

重要度 A

チェック

登別株式会社は以前に鬼怒川株式会社に裏書譲渡された約束手形100円について、取引銀行に取り立てを依頼したところ、支払いを拒絶されたので、鬼怒川株式会社に対して手形代金の支払いを請求した。なお、その際に拒絶証書作成費用５円を現金で支払っている。

Q157 不渡手形が回収できたとき

重要度 A

チェック

登別株式会社は不渡手形として処理していた105円が償還され、償還日までの法定利息10円とともに鬼怒川株式会社より小切手を受け取った。

Q158 裏書きした手形が不渡りとなったとき

重要度 B

チェック

鬼怒川株式会社は以前、登別株式会社に裏書譲渡していた約束手形100円が不渡りとなり、同社から償還請求の諸費用５円とともに請求されたため、延滞利息10円とともに小切手を振り出して支払った。

A 156

手形の不渡り

(不渡手形)	105*	(受取手形)	100
		(現金)	5

①裏書譲渡された手形が不渡り▶受取手形の減少▶貸方
裏書譲渡されたときに
受取手形の増加として
処理している
②現金の支払い▶現金の減少▶貸方
③手形の不渡り▶不渡手形の増加▶借方

* 手形を持っている人は裏書きした人(鬼怒川株式会社)に対して手形の不渡りにかかる諸費用も含めて請求できるため、拒絶証書作成費用も不渡手形の金額に含めて処理

A 157

手形の不渡り

(現金)	115	(不渡手形)	105
		(受取利息)	10

①不渡手形の償還▶不渡手形の減少▶貸方

②利息の受け取り▶受取利息▶貸方

③小切手を受け取った▶現金の増加▶借方

A 158

手形の不渡り

(不渡手形)	115*	(当座預金)	115

手形の不渡り
①小切手の振り出し▶当座預金の減少▶貸方
②手形の不渡り▶不渡手形の増加▶借方

* 手形を裏書きした人(鬼怒川株式会社)は手形を振り出した人に対して手形の不渡りにかかる諸費用も含めて請求できるため、延滞利息も不渡手形の金額に含めて処理

Q159 手形を更改したとき(支払手形)①

重要度 B

チェック □ □ □

熱海株式会社は以前、白浜株式会社に対して振り出した約束手形100円について、３か月の期間の延長を申し出、白浜株式会社はこれを承諾した。なお、３か月延長に伴う利息の支払額は10円であり、利息の金額を含めた新手形と旧手形を交換した。

Q160 手形を更改したとき(支払手形)②

重要度 B

チェック □ □ □

熱海株式会社は以前、白浜株式会社に対して振り出した約束手形100円について、３か月の期間の延長を申し出、白浜株式会社はこれを承諾した。なお、３か月延長に伴う利息の支払額は10円であり、当座預金で支払った。

A 159

手形の更改

（支払利息）	10	（支払手形）	110*
（支払手形）	100		

①利息の支払い▶支払利息▶借方

②新手形と旧手形を交換▶ { 支払手形（旧手形）の減少▶借方 / 支払手形（新手形）の増加▶貸方 }

*　新手形には利息の金額を含める→100円＋10円＝110円

〈本試験で同じ科目についての相殺指示があったとき〉
・支払手形を相殺し、次のような仕訳になります。

（支払利息）	10	（支払手形）	10

ポイント

利息の金額は新手形に含める場合（本問）と含めない場合があります。

☑あわせてチェック
Q160 利息を新手形に含めない場合

A 160

手形の更改

（支払利息）	10	（当座預金）	10
（支払手形）	100	（支払手形）	100

①利息の支払い▶支払利息▶借方

②利息は当座預金で支払い▶当座預金の減少▶貸方

③新手形と旧手形を交換▶ { 支払手形（旧手形）の減少▶借方 / 支払手形（新手形）の増加▶貸方 }

〈本試験で同じ科目についての相殺指示があったとき〉
・支払手形を相殺し、次のような仕訳になります。

（支払利息）	10	（当座預金）	10

☑あわせてチェック
Q159 利息を新手形に含める場合

Q161 手形を更改したとき（受取手形）①

重要度 B

チェック

白浜株式会社は以前、熱海株式会社より受け取った約束手形100円について、３か月の期間の延長の申し出があったため、これを承諾した。なお、３か月延長に伴う利息の受取額は10円であり、利息の金額を含めた新手形と旧手形を交換した。

Q162 手形を更改したとき（受取手形）②

重要度 B

チェック

白浜株式会社は以前、熱海株式会社より受け取った約束手形100円について、３か月の期間の延長の申し出があったため、これを承諾した。なお、３か月延長に伴う利息の受取額は10円であり、現金で受け取った。

A161

手形の更改

(受取手形)	110*	(受取利息)	10
		(受取手形)	100

①利息の受け取り▶受取利息▶貸方

②新手形と旧手形を交換▶｛受取手形（旧手形）の減少▶貸方
受取手形（新手形）の増加▶借方

＊　新手形には利息の金額を含める→100円＋10円＝110円

〈本試験で同じ科目についての相殺指示があったとき〉
・受取手形を相殺し、次のような仕訳になります。

(受取手形)	10	(受取利息)	10

☑ あわせてチェック
Q162 利息を新手形に含めない場合

A162

手形の更改

(現金)	10	(受取利息)	10
(受取手形)	100	(受取手形)	100

①利息の受け取り▶受取利息▶貸方

②利息は現金で受け取った▶現金の増加▶借方

③新手形と旧手形を交換▶｛受取手形（旧手形）の減少▶貸方
受取手形（新手形）の増加▶借方

〈本試験で同じ科目についての相殺指示があったとき〉
・受取手形を相殺し、次のような仕訳になります。

(現金)	10	(受取利息)	10

☑ あわせてチェック
Q161 利息を新手形に含める場合

Q163 月次損益

重要度 B

チェック □□□

期首において、所有する備品について、年間の減価償却費が1,200円と見積られた。当月分の減価償却費を月割計上する。記帳方法は間接法によること。

Q164 仕入の計上基準(入荷基準)①

重要度 B

チェック □□□

先に注文した商品100円が到着した。代金は掛けとする。なお、当社は「入荷基準」により仕入費用の認識を行っている。

A 163

(減価償却費)	100*	(減価償却累計額)	100

①減価償却費の月割額
▶減価償却費（費用）の増加▶借方
＊　1,200円÷12か月＝100円
年間の減価償却費
②間接法▶減価償却累計額（資産のマイナス）の増加▶貸方

月次損益

ポイント
月次損益を重視する場合、当期分の減価償却費を見積り、これを各月に配分し、毎月末の月次決算で減価償却費を計上します。

A 164

(仕入)	100	(買掛金)	100

①商品入荷による仕入の計上▶仕入（費用）の増加▶借方

②仕入による掛け代金の計上▶買掛金（負債）の増加▶貸方

仕入の計上基準

ポイント
「入荷基準」とは、商品の入荷（到着）という事実にもとづき仕入（費用）を計上する考え方です。

Q165 仕入の計上基準（入荷基準）②

重要度 B

チェック □□□

Q164の商品を検収したところ20円の商品が品違いであったため、返品した。なお、当社は「入荷基準」により仕入費用の認識を行っている。

Q166 仕入の計上基準（検収基準）①

重要度 A

チェック □□□

先に注文した商品100円が到着した。代金は掛けとする。なお、当社は「検収基準」により仕入費用の認識を行っている。

Q167 仕入の計上基準（検収基準）②

重要度 A

チェック □□□

Q166の商品を検収したところ20円の商品が品違いであったため、返品した。なお、当社は「検収基準」により仕入費用の認識を行っている。

A 165

仕入の計上基準

(買　掛　金)	20	(仕　　入)	20

①返品による掛け代金の取り消し▶買掛金（負債）の減少▶借方

②返品による仕入の取り消し▶仕入（費用）の減少▶貸方

ポイント

「入荷基準」では、商品入荷（到着）時に仕入（費用）を計上しているため、返品時には仕入時の逆仕訳を行い、仕入時の取引を一部取り消します。

A 166

仕入の計上基準

仕　訳　な　し

商品が到着しただけで、検収が終了していないため、仕訳は行いません。

ポイント

「検収基準」とは、商品の到着後、商品の検収の終了をもって仕入を計上する考え方です。

A 167

仕入の計上基準

(仕　　入)	80*	(買　掛　金)	80

①検収終了による仕入の計上▶仕入（費用）の増加▶借方

＊　100円－20円＝80円

②掛け代金の計上▶買掛金（負債）の増加▶貸方

ポイント

「検収基準」では、商品の検収の終了をもって仕入を計上するため、検収後の仕入額をもって仕入計上します。

Q168 サービス業の処理（販売時）

重要度 A

チェック □ □ □

イベント企画を行うＸＹＺ企画は、来月に新宿ホールにて映画上映会の開催を企画した。そのチケット10枚を@100円ですべて販売し、代金は現金で受け取った。

Q169 サービス業の処理（必要経費の支払い）

重要度 A

チェック □ □ □

Q168のＸＹＺ企画は、映画上映会のために必要な諸経費700円を現金で支払った。

Q170 サービス業の処理（役務収益・役務原価の計上）

重要度 A

チェック □ □ □

Q168のＸＹＺ企画は、無事に予定していた映画上映会を開催した。

A 168 サービス業

(現　金) 1,000	(前受金) 1,000*

サービス提供が終了していない段階での対価の受け取り
▶前受金（負債）の増加▶貸方
＊　@100円×10枚＝1,000円

ポイント
役務（サービス）の提供を営む企業では、サービス提供が終了したときに「役務収益」を計上し、サービス提供前に受け取った代金は前受金（負債）として処理します。

A 169 サービス業

(仕掛品) 700	(現　金) 700

サービス提供が終了していない段階での必要経費の支払い
▶仕掛品（資産）の増加▶借方

ポイント
提供していないサービスにかかる費用は、いったん仕掛品（資産）として計上しておきます。

A 170 サービス業

(前受金) 1,000	(役務収益) 1,000
(役務原価) 700	(仕掛品) 700

①サービス提供が終了した段階での収益計上
　▶前受金(負債)の減少▶借方　役務収益(収益)の増加▶貸方
②サービス提供が終了した段階での費用計上
　▶役務原価(費用)の増加▶借方　仕掛品(資産)の減少▶貸方

ポイント
「役務収益」を計上したときには、「仕掛品」から「役務原価（費用）」に振り替えます。

Q171 独立した履行義務①

重要度 A

チェック □ □ □

商品A（売価100円）と商品B（売価50円）を得意先に販売する契約を締結し、商品Aのみを取引先へ引き渡した。なお、代金は商品Bを引き渡した後に請求する契約となっており、商品Aの売価100円についてはまだ顧客との契約から生じた債権となっていない。また、商品Aの引き渡しと商品Bの引き渡しは、それぞれ独立した履行義務として認識される。

Q172 独立した履行義務②

重要度 A

チェック □ □ □

Q171の後、商品Bを引き渡した。なお、代金は月末に受け取ることになっている。

Q173 複数の履行義務①

重要度 B

チェック □ □ □

当期首に、得意先に対し商品Aおよび２年間の保守サービスを合計600円（うち商品A500円、保守サービス100円）で販売した。代金は現金で受け取り、ただちに商品Aを得意先に引き渡した。
なお、当社では、それぞれを別個の履行義務として認識している。保守サービスは、商品Aを引き渡した本日から開始しており、時の経過（月割計算）に応じて履行義務を充足する。

A 171

（契約資産）	100	（売上）	100

①商品Aを引き渡した▶顧客との契約から生じた債権ではない▶契約資産（資産）の増加▶借方
②商品Aのみ引き渡した▶商品Aの売価100円だけ収益認識▶売上（収益）の増加▶貸方

ポイント
代金は商品Bを引き渡した後に請求する契約であるため、売上債権は計上しません。

A 172

（売掛金）	150	（売上）	50
		（契約資産）	100

①商品Bを引き渡した▶商品Bの売価50円を収益認識▶売上（収益）の増加▶貸方
②商品Bの収益認識▶顧客との契約から生じた債権となる▶売掛金（資産）の増加▶借方
③計上していた商品Aにかかる契約資産▶売掛金に振り替え▶契約資産（資産）の減少▶貸方

A 173

（現金）	600	（売上）	500
		（契約負債）	100

①売上による代金の受け取り▶現金（資産）の増加▶借方
②商品販売による売上の計上▶売上（収益）の増加▶貸方
③サービス提供が終了していない段階での対価の計上▶契約負債（負債）の増加▶貸方

ポイント
サービス提供が終了していない段階での対価は、契約負債（負債）として計上します。なお、「契約負債」は「前受金」等のより具体的な勘定科目をもって計上することもできます。

Q174 複数の履行義務②

重要度 B

チェック □□□

Q173の後、当社は決算日を迎えた。保守サービスは当期に１年間を提供している。

Q175 売上割戻①

重要度 B

チェック □□□

Ａ社に対して商品乙10個を１個あたり30円で販売し、代金は掛けとした。今月中に商品乙を30個以上購入した場合に、この期間の販売額の１割をリベートとして支払う契約となっている。なお、契約の条件が達成される可能性は高いと予想されている。

Q176 売上割戻②

重要度 B

チェック □□□

Q175の後、Ａ社に対して商品乙20個を１個あたり30円で販売し、代金を掛けとした。これによりリベートの条件が達成され、後日支払うこととした。

A 174

借方科目	金額	貸方科目	金額
(契約負債)	50*	(役務収益)	50

①履行義務の充足▶契約負債の取り崩し▶契約負債（負債）の減少▶借方

＊　$100円\times\frac{1年間}{2年間}=50円$

②保守サービスの提供▶収益の認識▶役務収益（収益）の増加▶貸方

ポイント

履行義務を充足した1年分の保守サービスについて契約負債を取り崩し、役務収益を計上します。

収益認識基準

A 175

借方科目	金額	貸方科目	金額
(売掛金)	300*1	(売上)	270
		(返金負債)	30*2

①売上による掛け代金の計上▶売掛金（資産）の増加▶借方

＊1　@30円×10個＝300円

②商品販売による売上の計上▶売上（収益）の増加▶貸方

③予想されるリベート額の計上▶返金負債（負債）の増加▶貸方

＊2　300円×10％＝30円

ポイント

リベート（売上割戻）が予想される額は、返金負債（負債）として計上します。

収益認識基準

A 176

借方科目	金額	貸方科目	金額
(売掛金)	600	(売上)	540
		(返金負債)	60
(返金負債)	90	(未払金)	90

①リベートの条件が達成▶返金負債（負債）の減少▶借方

②後日、支払う▶未払金（負債）の増加▶貸方

ポイント

リベート（売上割戻）が達成された場合は、計上していた返金負債を取り崩します。

収益認識基準

Q177 貸倒引当金繰入の損金不算入額・発生年度

重要度 A

チェック □□□

第１期の決算において売掛金にかかる貸倒引当金400円を繰り入れたが、そのうち200円について法人税法上、損金不算入となった。なお、法人税等の税率は40％として、税効果会計を適用する。

Q178 貸倒引当金繰入の損金不算入額・解消年度

重要度 A

チェック □□□

前期より繰り越された売掛金200円が貸し倒れたため、法人税法上、この貸倒れにかかる損失が損金算入となった。なお、法人税等の税率は40％として、税効果会計を適用している。

Q179 減価償却費の損金不算入額・発生年度

重要度 A

チェック □□□

第１期の決算において、当期に計上した減価償却費600円のうち、300円が損金不算入となった。なお、法人税等の税率は40％として、税効果会計を適用する。

(繰延税金資産)	80＊	(法人税等調整額)	80

①将来減算一時差異の発生▶繰延税金資産（資産）の増加▶借方

＊　200円×40％＝80円

②貸方▶法人税等調整額

税効果会計

A
178

(法人税等調整額)	80	(繰延税金資産)	80＊

①将来減算一時差異の解消▶繰延税金資産（資産）の減少▶貸方

＊　200円×40％＝80円

②借方▶法人税等調整額

税効果会計

A
179

(繰延税金資産)	120＊	(法人税等調整額)	120

①将来減算一時差異の発生▶繰延税金資産（資産）の増加▶借方

＊　300円×40％＝120円

②貸方▶法人税等調整額

税効果会計

Q180 その他有価証券の評価差額と税効果会計①

重要度 A

チェック □□□

第１期の決算において、当期に取得した、その他有価証券（取得原価は2,000円）の時価は2,500円であった。なお、法人税等の税率を40％として税効果会計を適用し、評価替えを行う（全部純資産直入法）。

Q181 その他有価証券の評価差額と税効果会計②

重要度 A

チェック □□□

第１期の決算において、当期に取得した、その他有価証券（取得原価は2,000円）の時価は1,500円であった。なお、法人税等の税率を40％として税効果会計を適用し、評価替えを行う（全部純資産直入法）。

Q182 その他有価証券の評価差額と税効果会計・翌期首

重要度 A

チェック □□□

前期末において、前期首に取得した、その他有価証券（取得原価は2,000円）の時価は2,500円であったため、法人税等の税率を40％として税効果会計を適用し、評価替えを行った（全部純資産直入法）。
前期末におけるその他有価証券の時価評価について再振替仕訳を行った。

(その他有価証券)	500 *1	(繰延税金負債)	200 *2
		(その他有価証券評価差額金)	300 *3

①取得原価2,000円＜期末時価2,500円▶評価差益
▶その他有価証券（資産）の増加▶借方
*1　2,500円－2,000円＝500円
（期末時価）（取得原価）

②将来加算一時差異の発生▶繰延税金負債(負債)の増加▶貸方
*2　500円×40％＝200円
③貸借差額▶その他有価証券評価差額金(純資産)
*3　500円－200円＝300円

A 181

(繰延税金資産)	200 *2	(その他有価証券)	500 *1
(その他有価証券評価差額金)	300 *3		

①取得原価2,000円＞期末時価1,500円▶評価差損
▶その他有価証券（資産）の減少▶貸方
*1　1,500円－2,000円＝△500円
（期末時価）（取得原価）

②将来減算一時差異の発生▶繰延税金資産(資産)の増加▶借方
*2　500円×40％＝200円
③貸借差額▶その他有価証券評価差額金(純資産)
*3　500円－200円＝300円

A 182

(繰延税金負債)	200 *2	(その他有価証券)	500 *1
(その他有価証券評価差額金)	300 *3		

①取得原価2,000円＜期末時価2,500円▶評価差益の再振替
▶その他有価証券(資産)の減少▶貸方
*1　2,500円－2,000円＝500円
（期末時価）（取得原価）
②将来加算一時差異の解消▶繰延税金負債(負債)の減少▶借方
*2　500円×40％＝200円
③貸借差額▶その他有価証券評価差額金(純資産)
*3　500円－200円＝300円

ポイント

その他有価証券は洗替方式を採用しているため、その他有価証券評価差額金にかかる一時差異は、翌期の再振替仕訳により解消します。

Q183 本支店間の取引①

重要度 A

チェック □ □ □

次の取引について本店と支店の仕訳をしなさい。

本店は支店へ現金100円を送付し、支店はこれを受け取った。

Q184 本支店間の取引②

重要度 A

チェック □ □ □

次の取引について本店と支店の仕訳をしなさい。

本店は支店の営業費200円を現金で支払った。なお、支店はこの連絡を受けた。

Q185 本支店間の取引③

重要度 A

チェック □ □ □

次の取引について本店と支店の仕訳をしなさい。

支店は本店の買掛金300円を現金で支払った。なお、本店はこの連絡を受けた。

A 183

本支店会計

	借方	金額	貸方	金額
本　店	(支　　　店)	100	(現　　　金)	100
支　店	(現　　　金)	100	(本　　　店)	100

本店：

①現金の送付▶現金（資産）の減少▶貸方

②相手勘定▶支店▶借方

支店：

①現金の受け取り▶現金（資産）の増加▶借方

②相手勘定▶本店▶貸方

A 184

本支店会計

	借方	金額	貸方	金額
本　店	(支　　　店)	200	(現　　　金)	200
支　店	(営　業　費)	200	(本　　　店)	200

本店：

①現金で支払った▶現金（資産）の減少▶貸方

②相手勘定▶支店▶借方

支店：

①支店の営業費の支払い▶営業費（費用）▶借方

②相手勘定▶本店▶貸方

A 185

本支店会計

	借方	金額	貸方	金額
本　店	(買　掛　金)	300	(支　　　店)	300
支　店	(本　　　店)	300	(現　　　金)	300

本店：

①本店の買掛金の支払い▶買掛金の減少▶借方

②相手勘定▶支店▶貸方

支店：

①現金の支払い▶現金の減少▶貸方

②相手勘定▶本店▶借方

Q186 本支店間の取引④

重要度 A

チェック □□□

次の取引について本店と支店の仕訳をしなさい。

本店は支店へ商品100円を発送し、支店はこれを受け取った。

Q187 本支店合併財務諸表の作成

重要度 A

チェック □□□

次の資料にもとづき、本支店合併損益計算書の売上高と当期商品仕入高を計算しなさい。

決算整理前残高試算表 （単位：円）

本店	支店	勘定科目	本店	支店
		売　　　上	500	200
300	60	仕　　　入		

Q188 外貨建取引（前払金の支払時）

重要度 A

チェック □□□

米国のA社より商品10ドルを購入することになり、その手付金として1ドルを現金で支払った。当日の為替相場は1ドルあたり100円であった。

A 186

本支店会計

本　店（支　店）	100	（仕　入）	100
支　店（仕　入）	100	（本　店）	100

本店：

①支店へ商品を発送した▶仕入（費用）の減少▶貸方

②相手勘定▶支店▶借方

支店：

①本店より商品を受け取った▶仕入（費用）の増加▶借方

②相手勘定▶本店▶貸方

A 187

本支店会計

売　上　高：	700円*1
当期商品仕入高：	360円*2

*1　500円＋200円＝700円

*2　300円＋60円＝360円

A 188

外貨換算会計

（前　払　金）	100*	（現　金）	100

①前払金（資産）の増加▶借方

*　1ドル×100円＝100円

②現金（資産）の減少▶貸方

Q189 外貨建取引（輸入時）

重要度 A

チェック □□□

米国のＡ社に注文していた商品10ドルを受け取り、先に支払っていた手付金１ドルを控除した残額を買掛金として計上した。

【為替相場】

当日の為替相場：95円

手付金支払時の為替相場：100円

Q190 外貨建取引（買掛金の決済時）

重要度 A

チェック □□□

買掛金9ドルを現金で支払った。

【為替相場】

当日の為替相場：90円

買掛金発生時の為替相場：95円

Q191 外貨建取引（前受金の受取時）

重要度 A

チェック □□□

米国のＢ社に商品10ドルを販売することになり、その手付金として１ドルを現金で受け取った。当日の為替相場は１ドルあたり100円であった。

A 189

(仕　入) 955	(前払金) 100 *1
	(買掛金) 855 *2

①前払金1ドルの充当▶前払金（資産）の減少▶貸方
　＊1　1ドル×100円＝100円
②商品残額9ドル▶買掛金（負債）の増加▶貸方
　＊2　(10ドル－1ドル)×95円＝855円
③仕入（費用）の増加▶借方▶貸方合計金額

ポイント

商品価額から前払金の額を控除した**ドルベースの残額**に、**当日の為替相場**をかけて買掛金とします。

外貨換算会計

A 190

(買掛金) 855 *1	(現　金) 810 *2
	(為替差損益) 45

①買掛金（負債）の減少▶借方
　＊1　9ドル×95円＝855円

②現金（資産）の減少▶貸方
　＊2　9ドル×90円＝810円

③為替差損益の発生▶貸借差額

外貨換算会計

A 191

(現　金) 100	(前受金) 100 *

①前受金（負債）の増加▶貸方
　＊　1ドル×100円＝100円

②現金（資産）の増加▶借方

外貨換算会計

Q192 外貨建取引（輸出時）

重要度 A

チェック

米国のＢ社から注文のあった商品10ドルを発送し、先に受け取っていた手付金１ドルを控除した残額を売掛金として計上した。

【為替相場】

当日の為替相場：95円

手付金受取時の為替相場：100円

Q193 外貨建取引（売掛金の決済時）

重要度 A

チェック

売掛金９ドルを現金で回収した。

【為替相場】

当日の為替相場：90円

売掛金発生時の為替相場：95円

Q194 外貨建取引（決算時の換算①）

重要度 A

チェック

買掛金300円は米国のＣ社に対するドル建てのものであり、３ドルを取引時の為替相場１ドルあたり100円で換算している。

決算時の為替相場は１ドルあたり95円であった。

A 192

外貨換算会計

（前　受　金）	100 *1	（売　　上）	955
（売　掛　金）	855 *2		

①前受金1ドルの充当▶前受金（負債）の減少▶借方

　*1　1ドル×100円＝100円

②商品残額9ドル▶売掛金（資産）の増加▶借方

　*2　（10ドル－1ドル）×95円＝855円

③売上（収益）の増加▶貸方▶借方合計金額

ポイント

商品価額から前受金の額を控除した**ドルベースの残額**に、**当日の為替相場**をかけて売掛金とします。

A 193

外貨換算会計

（現　　金）	810 *2	（売　掛　金）	855 *1
（為替差損益）	45		

①売掛金（資産）の減少▶貸方

　*1　9ドル×95円＝855円

②現金（資産）の増加▶借方

　*2　9ドル×90円＝810円

③為替差損益の発生▶貸借差額

A 194

外貨換算会計

（買　掛　金）	15 *	（為替差損益）	15

①買掛金（負債）の減少▶借方

　*　（95円－100円）×3ドル＝△15円

②相手勘定▶為替差損益

Q195 外貨建取引（決算時の換算②）

重要度 A

チェック □ □ □

売掛金500円は米国のＤ社に対するドル建てのものであり、５ドルを取引時の為替相場１ドルあたり100円で換算している。
決算時の為替相場は１ドルあたり90円であった。

Q196 取引発生時に為替予約を付した場合の仕入時

重要度 A

チェック □ □ □

商品５ドルを掛けで輸入し（輸入時の為替相場：１ドルあたり100円）、同時に先物相場１ドルあたり101円で為替予約（ドル買いの予約）を付した。
外貨建取引および外貨建金銭債権債務については、先物相場で換算する。

Q197 取引発生時に為替予約を付した場合の決算時

重要度 A

チェック □ □ □

期中に商品5ドルを掛けで輸入し（輸入時の為替相場：１ドルあたり100円）、同時に先物相場１ドルあたり101円で為替予約を付した。この時、外貨建取引および外貨建金銭債権債務について、先物相場で処理した。
本日、決算日を迎え、為替相場は１ドルあたり103円であった。

A 195

外貨換算会計

(為替差損益)	50	(売掛金)	50*

①売掛金（資産）の減少▶貸方

＊　（90円－100円）×５ドル＝△50円

②相手勘定▶為替差損益

A 196

外貨換算会計

(仕入)	505*	(買掛金)	505

取引発生と同時に為替予約を付す▶先物相場で換算

＊　５ドル×先物相場101円＝505円

ポイント

取引発生時（まで）に為替予約を付した場合、外貨建取引および外貨建金銭債権債務については、先物相場で換算します。

A 197

外貨換算会計

仕訳なし

ポイント

為替予約を行っている場合、決算時における換算替えは行いません。

Q198 取引発生時に為替予約を付した場合の決済時

重要度 A

チェック □□□

期中に輸入した商品についての掛代金5ドルを現金で支払った。この商品は、購入時に為替予約を付したため、先物相場1ドルあたり101円で換算している。決済時の直物為替相場は1ドルあたり110円であった。

Q199 取引発生後に為替予約を付した場合の予約時

重要度 B

チェック □□□

期中に商品5ドルを掛けで輸入した。その後、当該買掛金5ドルについて為替予約（ドル買いの予約）を付した。なお、為替予約にともなう差額はすべて当期の損益として処理する。

【為替相場】

輸入時：直物　100円/1ドル
予約時：直物　103円/1ドル
　　　　先物　101円/1ドル

Q200 取引発生後に為替予約を付した場合の決算時

重要度 A

チェック □□□

期中に商品5ドルを掛けで輸入した。その後、当該買掛金5ドルについて為替予約（ドル買いの予約）を付した。本日、決算日を迎えた。

【為替相場】

輸入時：直物　100円/1ドル
予約時：直物　103円/1ドル
　　　　先物　101円/1ドル
決算時：直物　107円/1ドル

A198 外貨換算会計

(買掛金)	505*	(現金)	505

①買掛金（負債）の減少▶借方

＊　5ドル×先物為替相場101円＝505円

②現金（資産）の減少▶貸方

ポイント

為替予約を行っている場合、先に約定した先物相場で支払いが行われるため、決済時に為替差損益は発生しません。

A199 外貨換算会計

(為替差損益)	5	(買掛金)	5*

①買掛金（負債）の増加▶貸方

＊（先物101円－輸入時100円）×5ドル＝5円

②相手勘定▶為替差損益

ポイント

ドル買いの予約とは、将来、円でドルを購入する時（買掛金を決済するためにドルを用意するため）のレートを現時点（予約時）の先物レートで固定することをいいます。

A200 外貨換算会計

仕訳なし

ポイント

為替予約が付されているため、決算時の換算替えは行いません。

Q201 取引発生後に為替予約を付した場合の決済時

重要度 B

チェック □□□

為替予約を付した買掛金５ドルについて現金で決済した。

【為替相場】

輸入時：	直物	100円/１ドル
	先物	99円/１ドル
予約時：	直物	103円/１ドル
	先物	101円/１ドル
決済時：	直物	111円/１ドル
	先物	109円/１ドル

Q202 資本獲得日の連結（投資と資本の相殺消去）

重要度 B

チェック □□□

Ｐ社は×１年３月31日（当期末）に、Ｓ社の発行済議決権株式の100％を200円で取得し、支配を獲得した。取得時のＳ社の資本金は120円、資本剰余金は40円、利益剰余金は40円である。このときの連結修正仕訳を示しなさい。

Q203 部分所有の連結

重要度 B

チェック □□□

Ｐ社は×１年３月31日（当期末）に、Ｓ社の発行済議決権株式の70％を140円で取得し、支配を獲得した。取得時のＳ社の資本金は120円、資本剰余金は40円、利益剰余金は40円である。このときの連結修正仕訳を示しなさい。

A 201

外貨換算会計

借方		貸方	
(買　掛　金)	505*	(現　　金)	505

①買掛金（負債）の減少▶借方

＊　予約時の先物為替相場101円×５ドル＝505円

②現金（資産）の減少▶貸方

ポイント

為替予約を行っている場合、先に約定した先物相場で支払いが行われるため、決済時に為替差損益は発生しません。

A 202

連結会計

借方		貸方	
(資　本　金)	120	(Ｓ 社 株 式)	200
(資本剰余金)	40		
(利益剰余金)	40		

①純資産項目の消去▶借方

②子会社株式（資産）の消去▶貸方

ポイント

取得時点の子会社の資本と、Ｓ社株式（子会社株式）を相殺消去します。

A 203

連結会計

借方		貸方	
(資　本　金)	120	(Ｓ 社 株 式)	140
(資本剰余金)	40	(非支配株主持分)	60*
(利益剰余金)	40		

＊　(120円＋40円＋40円)×(100%－70%)
　　　　　　　　　　　　　　非支配株主持分割合
　　＝60円（非支配株主持分）

ポイント

親会社の他に非支配株主がいる場合は「非支配株主持分」を計上します。

Q204 投資消去差額(のれん)が生じる場合

重要度 B

チェック □□□

P社は×1年3月31日（当期末）に、S社の発行済議決権株式の70％を150円で取得し、支配を獲得した。取得時のS社の資本金は120円、資本剰余金は40円、利益剰余金は40円である。このときの連結修正仕訳を示しなさい。

Q205 支配獲得後1年目(開始仕訳)

重要度 B

チェック □□□

P社は前期末に、S社の発行済議決権株式の70％を150円で取得し、支配を獲得した。取得時のS社の資本金は120円、資本剰余金は40円、利益剰余金は40円である。当期末における開始仕訳を示しなさい。

Q206 支配獲得後1年目(のれんの償却)

重要度 B

チェック □□□

前期末に支配を獲得した子会社に対して、のれんが10円生じている。のれんは計上年度の翌年から10年の均等償却を行う。当期末における連結修正仕訳で必要なのれんの償却の仕訳を示しなさい。

A 204

連結会計

（資　本　金）	120	（S 社 株 式）	150
（資本剰余金）	40	（非支配株主持分）	60
（利益剰余金）	40		
（の　れ　ん）	10*		

＊　（120円＋40円＋40円）×70%＝140円
150円（S社株式）－140円（P社持分）＝10円

ポイント

投資消去差額が、借方に生じた場合は「のれん」を、貸方に生じた場合は「負ののれん発生益」を計上します。

A 205

連結会計

（資　本　金） 資本金当期首残高	120	（S 社 株 式）	150
（資本剰余金） 資本剰余金当期首残高	40	（非支配株主持分） 非支配株主持分当期首残高	60
（利益剰余金） 利益剰余金当期首残高	40		
（の　れ　ん）	10		

ポイント

以下、B/S項目を用いて仕訳を行いますが、波線の下でS/S項目を示しています。問題によって使い分けてください。

A 206

連結会計

（のれん償却）	1*	（の　れ　ん）	1

①のれん償却（費用）の発生▶借方
　＊　10円÷10年＝1円
②のれん（資産）の減少▶貸方

ポイント

のれんは、原則として20年以内に定額法などの方法で償却します。本問では、支配獲得（のれん計上）年度の翌年からという指示があるので、当期から10年で均等償却します。

Q207 支配獲得後1年目（子会社当期純利益の非支配株主持分への振替）

重要度 B

チェック □ □ □

前期末に発行済議決権株式の70％を取得し、S社の支配を獲得した。S社の当期純利益は100円である。当期末における連結修正仕訳で必要な子会社の当期純損益の振り替えの仕訳を示しなさい。

Q208 支配獲得後1年目（子会社配当金の修正）

重要度 B

チェック □ □ □

前期末に発行済議決権株式の70％を取得し、S社の支配を獲得した。S社が当期に行った利益剰余金からの配当は50円である。当期末における連結修正仕訳で必要な子会社の配当金の修正の仕訳を示しなさい。

A 207

(非支配株主に帰属する当期純損益)	30	(非支配株主持分) 非支配株主持分当期変動額	30 *

①子会社の純利益▶非支配株主分▶非支配株主持分（当期変動額）へ振替▶貸方

＊　100円×(100%－70%)＝30円

②借方▶非支配株主に帰属する当期純損益

ポイント

子会社の当期純利益は、株式の持分比率に応じて親会社分と非支配株主分とに按分します。そして、親会社分は連結上の利益とし、非支配株主分は連結上の利益から控除し、非支配株主持分を増やします。

A 208

(受取配当金)	35 *1	(利益剰余金) 剰余金の配当	50
(非支配株主持分) 非支配株主持分当期変動額	15 *2		

①配当のうち親会社分▶受取配当金を消去▶借方

＊1　50円×70%＝35円

②配当のうち非支配株主分▶非支配株主持分（当期変動額）へ振替▶借方

＊2　50円×(100%－70%)＝15円

連結会計

Q209 支配獲得後２年目（開始仕訳）

重要度 B

チェック □ □ □

Ｐ社は前々期末に、Ｓ社の発行済議決権株式の70％を150円で取得し、支配を獲得した。取得時のＳ社の資本金は120円、資本剰余金は40円、利益剰余金は40円である。また、Ｓ社の前期における当期純利益は100円、利益剰余金からの配当は50円である。のれんは計上年度の翌年から10年の均等償却を行う。当期末における開始仕訳を示しなさい。

借方	金額	貸方	金額
(資本金) 資本金当期首残高	120	(S社株式)	150
(資本剰余金) 資本剰余金当期首残高	40	(非支配株主持分) 非支配株主持分当期首残高	75
(利益剰余金) 利益剰余金当期首残高	56		
(のれん)	9		

ポイント

支配獲得後２期目の開始仕訳は、前期までに行った連結修正仕訳を累積したものとなります。

①開始仕訳

借方	金額	貸方	金額
(資本金) 資本金当期首残高	120	(S社株式)	150
(資本剰余金) 資本剰余金当期首残高	40	(非支配株主持分) 非支配株主持分当期首残高	60
(利益剰余金) 利益剰余金当期首残高	40		
(のれん)	10		

②のれんの償却

借方	金額	貸方	金額
(利益剰余金) 利益剰余金当期首残高 （のれん償却）	1	(のれん)	1

③子会社当期純利益の非支配株主持分への振り替え

借方	金額	貸方	金額
(利益剰余金) 利益剰余金当期首残高 （非支配株主に帰属する当期純損益）	30	(非支配株主持分) 非支配株主持分当期首残高	30

④子会社配当金の修正

借方	金額	貸方	金額
(利益剰余金) 利益剰余金当期首残高 （受取配当金）	35	(利益剰余金) 利益剰余金当期首残高 （剰余金の配当）	50
(非支配株主持分) 非支配株主持分当期首残高	15		

Q210 内部取引高の相殺消去(商品売買取引)

重要度 B

チェック

当期の連結財務諸表を作成するために必要な連結修正仕訳を示しなさい。

P社（貸方項目）		S社（借方項目）	
売　上　高	200円	仕　入　高	200円

※　P社（S社株式の70%を所有し、S社を支配）は、S社に対して商品200円を販売した。

Q211 未実現利益の消去(期末棚卸資産)・ダウンストリーム

重要度 B

チェック

P社（S社株式の70%を所有し、S社を支配）は、当期にS社に対して商品を販売し、S社はこのうち、50円の商品を当期末に在庫として所有している。P社のS社に対する売上総利益率は20%である。当期の連結財務諸表を作成するために必要な連結修正仕訳を示しなさい。

A 210

(売　上　高)	200	(売　上　原　価)	200

内部取引高の相殺消去

▶ { P社の売上高（収益）の減少▶借方
　 S社の売上原価（費用）の減少▶貸方
　　　　仕入高

連結会計

ポイント

連結損益計算書では、売上原価の内訳を表示しないため「当期商品仕入高」ではなく、「売上原価」として消去します。

A 211

(売　上　原　価)	10*	(商　　　品)	10

未実現利益の消去

▶ { 期末商品棚卸高の減少▶売上原価（費用）の増加▶借方
　 期末商品の減少▶商品（資産）の減少▶貸方

*　50円×20%＝10円（期末商品に含まれる未実現利益）

連結会計

ポイント

個別会計上の仕訳

(商　　　品)	50	(売　上　原　価)	50

連結会計上あるべき仕訳

(商　　　品)	40	(売　上　原　価)	40

連結会社相互間の取引によって取得した棚卸資産を買手側が所有している場合、期末棚卸高に含まれる未実現利益を消去します。

Q212 未実現利益の消去（期末棚卸資産）・アップストリーム

重要度 B

チェック □□□

S社は、当期にP社（S社株式の70%を所有し、S社を支配）に対して商品を販売し、P社はこのうち、50円の商品を当期末に在庫として所有している。S社のP社に対する売上総利益率は20%である。当期の連結財務諸表を作成するために必要な連結修正仕訳を示しなさい。

Q213 内部取引高の相殺消去（その他の取引）

重要度 B

チェック □□□

当期の連結財務諸表を作成するために必要な連結修正仕訳を示しなさい。

P社（貸方項目）		S社（借方項目）	
受取利息	6円	支払利息	6円

※ P社（S社株式の70%を所有し、S社を支配）には、S社から受け取った利息の6円が計上されている。

A 212

連結会計

（売上原価）	10 *1	（商品）	10
（非支配株主持分） 非支配株主持分当期変動額	3 *2	（非支配株主に帰属する当期純損益）	3

①未実現利益の消去

▶｛期末商品棚卸高の減少▶売上原価（費用）の増加▶借方
　期末商品の減少▶商品（資産）の減少▶貸方

＊1　50円×20％＝10円（期末商品に含まれる未実現利益）

②非支配株主持分の調整

▶｛損益項目の逆側▶非支配株主に帰属する当期純損益▶貸方
　相手勘定▶非支配株主持分（当期変動額）

＊2　10円（未実現利益）×（100％－70％）（非支配株主持分）＝3円

A 213

連結会計

（受取利息）	6	（支払利息）	6

内部取引高の相殺消去

▶｛P社の受取利息（収益）の減少▶借方
　S社の支払利息（費用）の減少▶貸方

Q214 債権・債務の相殺消去（商品売買取引）

重要度 B

チェック □ □ □

当期の連結財務諸表を作成するために必要な連結修正仕訳を示しなさい。

P社（借方項目）		S社（貸方項目）	
売　掛　金	100円	買　掛　金	100円

※　P社（S社株式の70%を所有し、S社を支配）は、S社に対して商品100円を掛けにより売り上げた。

Q215 債権・債務の相殺消去（貸倒引当金の調整）・ダウンストリーム

重要度 B

チェック □ □ □

P社はS社の発行済議決権株式の70%を所有し、支配している。当期末のP社の貸借対照表には、S社に対する売掛金1,000円が計上されており、P社はこの売掛金に対して2%の貸倒引当金を設定している。当期の連結財務諸表を作成するために必要な連結修正仕訳を示しなさい。

借方科目	金額	貸方科目	金額
(買　掛　金)	100	(売　掛　金)	100

債権・債務の相殺消去

▶ { S社の買掛金（負債）の減少▶借方
　 { P社の売掛金（資産）の減少▶貸方

連結会計

A 215

借方科目	金額	貸方科目	金額
(買　掛　金)	1,000	(売　掛　金)	1,000
(貸 倒 引 当 金)	20*	(貸倒引当金繰入)	20

①債権・債務の相殺消去

▶ { S社の買掛金（負債）の減少▶借方
　 { P社の売掛金（資産）の減少▶貸方

②貸倒引当金の調整

▶相殺消去した売掛金1,000円▶売掛金1,000円に対する貸倒引当金を消去

＊　1,000円×２％＝20円

連結会計

Q216 債権・債務の相殺消去(貸倒引当金の調整)・アップストリーム

重要度 B

チェック □ □ □

P社はS社の発行済議決権株式の70%を所有し、支配している。当期末のS社の貸借対照表には、P社に対する売掛金1,000円が計上されており、S社はこの売掛金に対して2%の貸倒引当金を設定している。当期の連結財務諸表を作成するために必要な連結修正仕訳を示しなさい。

Q217 債権・債務の相殺消去(その他の取引)

重要度 B

チェック □ □ □

当期の連結財務諸表を作成するために必要な連結修正仕訳を示しなさい。

P社(借方項目)		S社(貸方項目)	
短期貸付金	100円	短期借入金	100円
未収収益	15円	未払費用	15円

S社(借方項目)		P社(貸方項目)	
支払利息	15円	受取利息	15円

※ P社(S社株式の70%を所有し、S社を支配)は、S社に対して現金100円を貸し付けており、受取利息15円を未収計上している。

A 216

連結会計

借方	金額	貸方	金額
(買掛金)	1,000	(売掛金)	1,000
(貸倒引当金)	20 *1	(貸倒引当金繰入)	20
(非支配株主に帰属する当期純損益)	6 *2	(非支配株主持分) 非支配株主持分当期変動額	6

①債権・債務の相殺消去

▶ { P社の買掛金（負債）の減少▶借方
　 { S社の売掛金（資産）の減少▶貸方

②貸倒引当金の調整

▶相殺消去した売掛金1,000円▶売掛金1,000円に対する貸倒引当金を消去

＊1　1,000円×２％＝20円

③非支配株主持分の調整

▶ { 損益項目の逆側▶非支配株主に帰属する当期純損益▶借方
　 { 相手勘定▶非支配株主持分（当期変動額）

＊2　20円×(100％－70％)＝6円
（20円：貸倒引当金の調整額、100％－70％：非支配株主持分）

A 217

連結会計

借方	金額	貸方	金額
(短期借入金)	100	(短期貸付金)	100
(未払費用)	15	(未収収益)	15
(受取利息)	15	(支払利息)	15

債権・債務の相殺消去

▶ { S社の短期借入金（負債）と未払費用（負債）の減少▶借方
　 { P社の短期貸付金（資産）と未収収益（資産）の減少▶貸方

費用・収益の相殺消去

▶ { S社の支払利息（費用）の減少▶貸方
　 { P社の受取利息（収益）の減少▶借方

Q 218 手形取引

重要度 B

チェック □□□

S社は当期にP社（S社株式の70%を所有し、支配している）に対して買掛金を支払うため、約束手形100円を振り出した。P社は受け取った約束手形100円を連結外部の銀行で割り引いていた（手形売却損は考慮しない）。当期の連結財務諸表を作成するために必要な連結修正仕訳を示しなさい。

Q 219 未実現利益の消去（非償却有形固定資産）・ダウンストリーム

重要度 B

チェック □□□

P社（S社株式の70%を所有し、支配している）は、当期に、S社に対して土地（原価400円）を500円で売却し、現金を受け取っている。S社はこの土地を当期末に所有している。当期の連結財務諸表を作成するために必要な連結修正仕訳を示しなさい。

Q 220 未実現利益の消去（非償却有形固定資産）・アップストリーム

重要度 B

チェック □□□

S社は、当期に、P社（S社株式の70%を所有し、支配している）に対して土地（原価400円）を500円で売却し、現金を受け取っている。P社はこの土地を当期末に所有している。当期の連結財務諸表を作成するために必要な連結修正仕訳を示しなさい。

A 218

連結会計

(支払手形) 100	(短期借入金) 100

S社の支払手形を短期借入金に振り替えます。

▶ 支払手形（負債）の減少▶借方
　 短期借入金（負債）の増加▶貸方

ポイント

一方の会社が振り出した手形を他方の会社が連結グループ外部の銀行で割り引いた場合、連結上、手形の振り出しによる資金の借入れと考えるため、支払手形を借入金（手形の期間は数か月であるため通常は短期借入金）に振り替えます。

A 219

連結会計

(土地売却益) 100*	(土　　地) 100

①未実現利益の消去▶売却益の取り消し▶借方

②土地の帳簿価額修正▶土地の減額▶貸方

＊　500円－400円＝100円

ポイント

連結会社相互間において非償却有形固定資産を売買した場合には、その資産を連結グループ外部へ売却するまでは、連結会計上、損益は未実現であるため、これを消去します。

A 220

連結会計

(土地売却益) 100*1	(土　　地) 100
(非支配株主持分) 30*2 非支配株主持分当期変動額	(非支配株主に帰属する当期純損益) 30

①未実現利益の消去▶売却益の取り消し▶借方

②土地の帳簿価額修正▶土地の減額▶貸方

＊1　500円－400円＝100円

③非支配株主持分の調整

▶ 損益項目の逆側▶非支配株主に帰属する当期純損益▶貸方
　 相手科目▶非支配株主持分（当期変動額）

＊2　100円×(100％－70％)＝30円
　　（100円：未実現利益、100％－70％：非支配株主持分）

工業簿記　基本仕訳編

ここでは2級工業簿記のうち、第4問(1)の仕訳として出題が見込まれる論点を34問掲載しています。
頭の中で勘定の流れをイメージしながら、解いてみてくださいね。
また、費目別計算には、商業簿記の製造業会計に関連するものがあります。あわせて確認しましょう。

材料を購入したとき

A材料10kg(@10円)を掛けで購入した。なお、引取運賃10円は現金で支払った。

材料を返品したとき

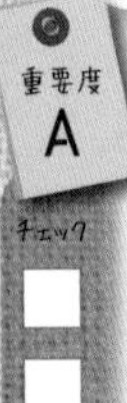

先に掛けで購入したB材料のうち、2個(@20円)を不良品のため返品した。

材料の払出単価の計算(平均法)

次の受払記録にもとづいて、平均法によって材料の当月消費額を計算しなさい。

月初在庫量	20kg	@15円	300円
当月購入量	80kg	@10円	800円
当月消費量	90kg		
月末在庫量	10kg		

A1　材料費

借方科目	金額	貸方科目	金額
(材　　料)	110 *2	(買　掛　金)	100 *1
		(現　　金)	10

①掛けで購入▶買掛金の増加▶貸方

＊1　@10円×10kg＝100円

②現金で支払った▶現金の減少▶貸方

③材料の購入▶材料（資産）の増加▶借方

＊2　材料の購入原価には引取運賃などの材料副費を含めます。

A2　材料費

借方科目	金額	貸方科目	金額
(買　掛　金)	40	(材　　料)	40 *

①掛けで購入した材料の返品▶買掛金の減少▶借方

②材料の返品▶材料（資産）の減少▶貸方

＊　@20円×２個＝40円

材料費

当月消費額：　990円＊

＊　払出単価：$\frac{300円+800円}{20kg+80kg}$＝@11円

当月消費額：@11円×90kg＝990円

Q4 材料の払出単価の計算（先入先出法）

重要度 A

チェック

次の受払記録にもとづいて、先入先出法によって材料の当月消費額を計算しなさい。

月初在庫量	20kg	@15円	300円
当月購入量	80kg	@10円	800円
当月消費量	90kg		
月末在庫量	10kg		

Q5 材料副費の予定計算

重要度 B

チェック

材料を掛けで購入した。材料の購入代価は100円で、材料副費については購入代価の５％を予定配賦した。

Q6 材料副費の支払い

重要度 A

チェック

当月の材料の買入手数料（材料副費）10円を現金で支払った。

A4 材料費

当月消費額：　1,000円*

先入先出法▶先に受け入れたものから先に払い出す▶月末在庫は後から受け入れたもの

材　料（先入先出法）

月初在庫　300円 20kg（@15円）	当月消費 90kg
当月購入　800円 80kg（@10円）	月末在庫 10kg

→差額（*）：
300円＋800円−100円
＝1,000円

→@10円×10kg＝100円

A5 材料費

（材　　　　料）	105 *2	（買　掛　金）	100
		（材 料 副 費）	5 *1

①掛けで購入▶買掛金の増加▶貸方

②材料副費の予定配賦▶貸方

　＊1 100円×５％＝５円

③材料の購入▶材料の増加▶借方

　＊2 100円＋５円＝105円

ポイント

材料副費の予定配賦額は、材料副費勘定の貸方に記入します。

A6 材料費

（材 料 副 費）	10	（現　　　金）	10

①材料副費の実際発生額▶借方

②現金で支払った▶現金（資産）の減少▶貸方

ポイント

材料副費の実際発生額は、材料副費勘定の借方に記入します。

Q7 材料副費差異の処理

重要度 A

チェック □□□

当月における材料副費の実際発生額と予定配賦額の差額を材料副費差異勘定に振り替えた。なお、当月の材料副費の実際発生額は10円、予定配賦額は５円である。

Q8 予定価格による材料費の計算①

重要度 A

チェック □□□

材料30個（直接材料20個、間接材料10個）を消費した。なお、当社は材料の計算に予定消費単価（@10円）を用いている。

Q9 予定価格による材料費の計算②

重要度 A

チェック □□□

材料の実際消費額は310円であった（当社は材料の計算に予定消費単価を用いている）。予定消費額（300円）との差額を材料消費価格差異勘定に振り替える。

A7

材料費

(材料副費差異)	5	(材　料　副　費)	5

①材料副費の予定配賦額と実際配賦額の差額▶材料副費勘定の借方残高▶材料副費を貸方に振り替える▶貸方
②材料副費差異勘定に振り替えた▶借方

ポイント

材料副費勘定の予定配賦額、実際発生額、材料副費差異で貸借を一致させます。

A8

材料費

(仕　　掛　　品)	200 *1	(材　　　　料)	300
(製 造 間 接 費)	100 *2		

①材料を消費した▶材料（資産）の減少▶貸方
②借方▶
- 直接材料費▶仕掛品で処理
  - ＊1　@10円×20個＝200円
- 間接材料費▶製造間接費で処理
  - ＊2　@10円×10個＝100円

ポイント

直接費（直接材料費、直接労務費、直接経費）は**仕掛品**、**間接費**（間接材料費、間接労務費、間接経費）は**製造間接費**として処理します。

A9

材料費

(材料消費価格差異)	10	(材　　　　料)	10

①当社は予定消費単価を用いている▶材料消費時に予定価格で
（×　　　×）××（材　　料）300
と処理している▶材料の実際消費額は310円▶10円（310円－300円）が追加で消費されたとして処理▶材料の減少▶貸方
②借方▶材料消費価格差異

ポイント

実際消費額＞予定消費額なら借方差異（不利差異）、実際消費額＜予定消費額なら貸方差異（有利差異）となります。なお、○○差異は費用の勘定と考えましょう。

Q10 棚卸減耗費の処理

重要度 A

チェック □□□

材料の月末帳簿棚卸高は100円（@10円×10個）である。月末に棚卸しをしたところ、月末実地在庫量は８個であった。なお、材料の棚卸減耗は正常な数量である。

Q11 賃金を支払ったとき

重要度 A

チェック □□□

当月において賃金650円を現金で支払った。

Q12 予定賃率による労務費の計算①

重要度 A

チェック □□□

直接工の直接作業時間は50時間、間接作業時間は10時間であった。なお、当社は直接工の労務費の計算に予定賃率（@10円）を用いている。

A10 材料費

(製造間接費)	20	(材　料)	20*

①材料が2個（10個－8個）減耗▶材料の減少▶貸方

＊　@10円×2個＝20円

②借方▶棚卸減耗費（間接経費）▶製造間接費

ポイント

材料の棚卸減耗費は**間接経費（製造間接費）**として処理します。

A11 労務費

(賃　金)	650	(現　金)	650

①現金で支払った▶現金の減少▶貸方

②賃金の支払い▶賃金（費用）▶借方

A12 労務費

(仕掛品)	500*1	(賃　金)	600
(製造間接費)	100*2		

①労務費の消費▶賃金勘定から振り替え▶貸方

②借方▶
- 直接労務費▶仕掛品で処理
  - ＊1　@10円×50時間＝500円
- 間接労務費▶製造間接費で処理
  - ＊2　@10円×10時間＝100円

Q13 予定賃率による労務費の計算②

重要度 A

チェック □□□

当月の直接工の賃金の実際支払額は650円、前月未払額は200円、当月未払額は100円であった（当社は直接工の労務費の計算に予定賃率を用いている）。賃金の予定消費額（600円）と実際消費額との差額を賃率差異勘定に振り替える。

Q14 外注加工賃が発生したとき

重要度 A

チェック □□□

製造指図書№10の製品の外注加工賃は100円であり、現金で支払った。

【使用できる勘定科目】

現金、材料、製品、仕掛品、製造間接費

Q15 減価償却費を計上したとき

重要度 A

チェック □□□

当月分の減価償却費20円を計上した。

【使用できる勘定科目】

製品、仕掛品、製造間接費、減価償却累計額

A13 労務費

(賃　　　金)	50	(賃率差異)	50

①当社は予定賃率を用いている▶労務費の消費時に予定賃率で
(×　　×) ××　(賃　　金) 600
と処理している▶賃金の実際消費額は550円（650円＋100円−200円）▶50円（600円−550円）分の賃金が消費されていなかったとして処理▶賃金▶借方
②貸方▶賃率差異

ポイント
賃金の実際消費額の計算の際、当月未払額は当月の実際支払額に加算しますが、前月未払額は当月の実際支払額から減算します。

A14 経費

(仕　掛　品)	100	(現　　　金)	100

①現金で支払った▶現金の減少▶貸方

②借方▶外注加工賃（直接経費）▶仕掛品で処理

ポイント
経費は**外注加工賃**や特許権使用料などが**直接経費**で、減価償却費、電力料などは**間接経費**です。

A15 経費

(製造間接費)	20	(減価償却累計額)	20

減価償却費（間接経費）▶製造間接費で処理▶借方

Q16 電力料が発生したとき

重要度 A

チェック

当月分の電力消費量の測定結果にもとづいて電力料30円を計上した。

【使用できる勘定科目】

製品、仕掛品、製造間接費、未払電力料

Q17 製造間接費配賦差異の処理

重要度 A

チェック

当月の製造間接費の実際発生額は600円であった。なお、製造間接費は予定配賦をしており、予定配賦額は400円である。製造間接費の予定配賦額と実際発生額との差額を製造間接費配賦差異勘定に振り替える。

Q18 製品が完成したとき

重要度 A

チェック

当月の完成品は100円であった。

【使用できる勘定科目】

材料、仕掛品、製品

経費

(製造間接費)	30	(未払電力料)	30

電力料（間接経費）▶製造間接費で処理▶借方

A 17

原価差異

(製造間接費配賦差異)	200	(製造間接費)	200

①当社は予定配賦を行っている▶製造間接費の消費時に予定配賦で

（×　　×）××（製造間接費）400

と処理している▶製造間接費の実際発生額は600円▶200円（400円－600円）分の製造間接費が多く消費されていたとして処理▶製造間接費▶貸方

②借方▶製造間接費配賦差異

A 18

完成時

(製品)	100	(仕掛品)	100

製品の完成

▶ 製品（資産）の増加▶借方
　 仕掛品（資産）の減少▶貸方
　 完成したので加工途中のものはなくなる

Q19 製品を販売したとき

重要度 A

チェック □□□

製品500円（原価）を800円（売価）で販売し、代金を現金で受け取った。

【使用できる勘定科目】

現金、製品、売上、売上原価

Q20 製品に棚卸減耗が生じたとき

重要度 A

チェック □□□

決算において、製品の実地棚卸をしたところ、150円の棚卸減耗が生じた。なお、棚卸減耗はすべて正常な範囲のものであり、製品の棚卸減耗費は売上原価に賦課する。

【使用できる勘定科目】

現金、製品、売上、売上原価

Q21 会計年度末の処理

重要度 A

チェック □□□

決算において、製造間接費配賦差異勘定の残高が500円の借方残高であったため、売上原価勘定に振り替える。

A19 販売時

（現　　　　金）	800	（売　　　　上）	800
（売　上　原　価）	500	（製　　　　品）	500

①売上げの計上

▶ 現金（資産）の増加▶借方
　 売上（収益）の増加▶貸方

②売上原価の計上

▶ 売上原価（費用）の増加▶借方
　 製品（資産）の減少▶貸方

A20 決算時

（売　上　原　価）	150	（製　　　　品）	150

棚卸減耗の発生

▶ 売上原価（費用）の増加▶借方
　 製品（資産）の減少▶貸方

ポイント

製品の棚卸減耗費は、損益計算書上、売上原価の内訳項目または販売費及び一般管理費に計上します。

A21 決算時

（売　上　原　価）	500	（製造間接費配賦差異）	500

製造間接費配賦差異の振り替え

▶ 売上原価（費用）の増加▶借方
　 製造間接費配賦差異▶貸方

ポイント

製造間接費配賦差異勘定が貸方残高であったときは、貸借が反対の仕訳となります。

Q22 工場が材料を受け入れたとき

重要度 A

チェック □ □ □

本社で材料100円を掛けで購入し、工場の材料倉庫に受け入れた。工場における仕訳を示しなさい。なお、当社では本社会計から工場会計を独立させており、材料倉庫は工場内にある。

【使用できる勘定科目】

材料、仕掛品、製品、製造間接費、本社

Q23 工場で材料を消費したとき

重要度 A

チェック □ □ □

工場で材料90円（直接材料費80円、間接材料費10円）を消費した。工場における仕訳を示しなさい。なお、当社では本社会計から工場会計を独立させており、材料倉庫は工場内にある。

【使用できる勘定科目】

材料、仕掛品、製品、製造間接費、本社

Q24 工場で労務費を消費したとき

重要度 A

チェック □ □ □

工場で労務費100円（直接労務費70円、間接労務費30円）を消費した。工場における仕訳を示しなさい。なお、当社では本社会計から工場会計を独立させている。

【使用できる勘定科目】

材料、仕掛品、製品、製造間接費、賃金、本社

A22　本社工場会計

(材　料)	100	(本　社)	100

①（工場における）材料の受け入れ▶材料の増加▶借方

②相手勘定▶本社▶貸方

ポイント

工場側の仕訳のみ行います。掛けで購入したのは本社なので、工場の帳簿には買掛金は計上されません。

A23　本社工場会計

(仕掛品)	80	(材　料)	90
(製造間接費)	10		

①材料を消費した▶材料の減少▶貸方

②借方▶ { 直接材料費▶仕掛品で処理 / 間接材料費▶製造間接費で処理

A24　本社工場会計

(仕掛品)	70	(賃　金)	100
(製造間接費)	30		

①労務費の消費▶賃金勘定から振り替え▶貸方

②借方▶ { 直接労務費▶仕掛品で処理 / 間接労務費▶製造間接費で処理

Q25 工場で経費を消費したとき

重要度 A

チェック □ □ □

工場で設備の減価償却費40円を計上した。工場における仕訳を示しなさい。なお、当社では本社会計から工場会計を独立させている。

【使用できる勘定科目】

仕掛品、製品、製造間接費、減価償却累計額、本社

Q26 製造間接費を製品に配賦したとき

重要度 A

チェック □ □ □

製造間接費を各製品に配賦した。配賦額は直接労務費70円の120%である。工場における仕訳を示しなさい。なお、当社では本社会計から工場会計を独立させている。

【使用できる勘定科目】

材料、仕掛品、製品、製造間接費、本社

Q27 製品が完成し、工場の倉庫に保管したとき

重要度 A

チェック □ □ □

当月の完成品は200円であった。工場における仕訳を示しなさい。なお、当社では本社会計から工場会計を独立させており、製品は完成後、いったん工場の製品倉庫に保管される。

【使用できる勘定科目】

材料、仕掛品、製品、製造間接費、本社

A25

本社工場会計

(製造間接費)	40	(減価償却累計額)	40

工場の設備の減価償却費（間接経費）▶製造間接費で処理

▶借方

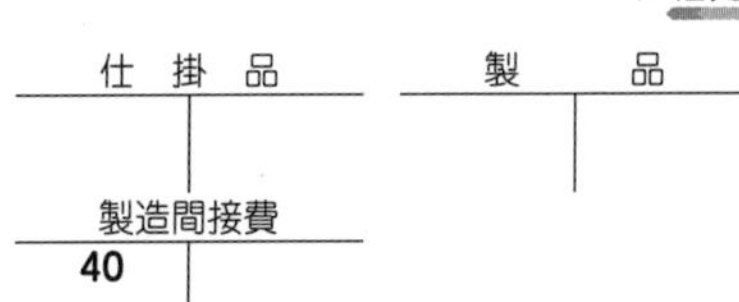

A26

本社工場会計

(仕掛品)	84	(製造間接費)	84*

①製造間接費の配賦▶製造間接費勘定から振り替え▶貸方

＊　70円×120％＝84円

②借方▶仕掛品

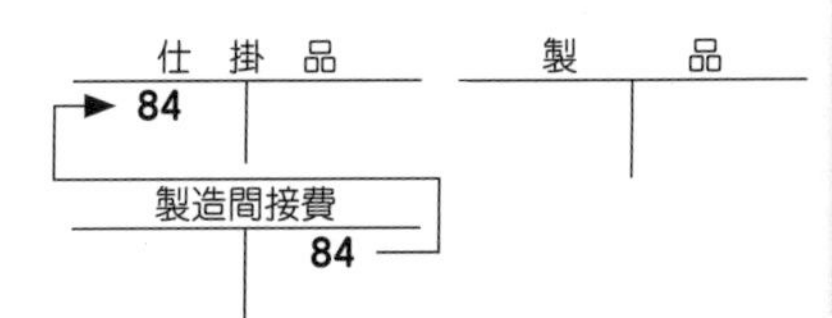

A27

本社工場会計

(製品)	200	(仕掛品)	200

製品の完成▶ ｛製品（資産）の増加▶借方
仕掛品（資産）の減少▶貸方

完成したので
加工途中のものはなくなる

仕掛品　　　　製品
200 ──▶ 200

Q28 工場で製品を本社に納入したとき

重要度 A

チェック □ □ □

工場は当月の完成品200円を本社に納入した。工場における仕訳を示しなさい。なお、当社では本社会計から工場会計を独立させている。
【使用できる勘定科目】
仕掛品、製品、本社

Q29 直接材料費の消費額

重要度 A

チェック □ □ □

当社では標準原価計算を採用しておりシングル・プランにより記帳している。製品1個当たりの標準直接材料費は70円であり、当月投入量は100個であった。なお、当月の実際直接材料費は7,500円であった。直接材料費の当月消費額に関する仕訳を示しなさい。

Q30 価格差異と数量差異の計上

重要度 A

チェック □ □ □

当月において価格差異1,100円（借方差異）と数量差異500円（借方差異）を計上した。当社では標準原価計算を採用しておりパーシャル・プランにより記帳している。

A28

本社工場会計

(本　　　社)	200	(製　　　品)	200

①製品を本社に納入▶工場の製品の減少▶貸方
②相手勘定▶本社▶借方

A29

標準原価計算

(仕　掛　品)	7,000 *	(材　　　料)	7,000

①材料を消費した▶材料（資産）の減少▶貸方
②借方▶直接材料費▶仕掛品で処理
＊　@70円×100個＝7,000円

ポイント
シングル・プランを採用している場合、各原価要素の勘定から仕掛品勘定への振替額は、標準原価となります。

A30

標準原価計算

(価 格 差 異)	1,100	(仕　掛　品)	1,600
(数 量 差 異)	500		

①価格差異と数量差異は借方差異 { 価格差異▶借方 / 数量差異▶借方 }
②貸借差額▶貸方▶仕掛品

ポイント
パーシャル・プランを採用しているため、直接材料費差異は仕掛品勘定から各原価差異の勘定へ振り替えます。

Q31 賃率差異と作業時間差異の計上

重要度 A

チェック □□□

当月において賃率差異1,100円（借方差異）と作業時間差異800円（貸方差異）を計上した。当社では標準原価計算を採用しておりシングル・プランにより記帳している。

Q32 製品の販売

重要度 A

チェック □□□

組別総合原価計算を採用している長野製作所においてA組製品（売価：2,000円、売上製品製造原価：1,500円）およびB組製品（売価：1,000円、売上製品製造原価：800円）を掛けにより販売した。よって、売上高と売上原価を計上する。

Q33 労務費の消費

重要度 A

チェック □□□

工程別総合原価計算を採用している埼玉株式会社は、労務費を消費した。なお、第1工程における消費賃率は1時間当たり20円、直接作業時間は40時間であり、第2工程における消費賃率は1時間当たり50円、直接作業時間は60時間であった。

A 31

標準原価計算

借方科目	金額	貸方科目	金額
(賃率差異)	1,100	(賃金)	300
		(作業時間差異)	800

①賃率差異は借方差異▶賃率差異▶借方

②作業時間差異は貸方差異▶作業時間差異▶貸方

③貸借差額▶貸方▶賃金

ポイント

シングル・プランを採用しているため、直接労務費差異は賃金勘定から各原価差異の勘定へ振り替えます。

A 32

組別総合原価計算

借方科目	金額	貸方科目	金額
(売掛金)	3,000	(売上)	3,000
(売上原価)	2,300	(A組製品)	1,500
		(B組製品)	800

①売上げの計上

- 売掛金（資産）の増加▶借方
- 売上（収益）の増加▶貸方

②売上原価の計上

- 売上原価（費用）の増加▶借方
- 各組製品（資産）の減少▶貸方

A 33

工程別総合原価計算

借方科目	金額	貸方科目	金額
(第1工程仕掛品)	800 *1	(賃金)	3,800
(第2工程仕掛品)	3,000 *2		

①労務費の消費▶賃金勘定から振り替え▶貸方

②第1工程消費高▶第1工程仕掛品勘定への振り替え▶借方

＊1　第1工程分：@20円×40時間＝800円

③第2工程消費高▶第2工程仕掛品勘定への振り替え▶借方

＊2　第2工程分：@50円×60時間＝3,000円

製造間接費の予定配賦

重要度 A

チェック

製造部門費を各製造指図書へ予定配賦した。切削部門の予定配賦額は600円、組立部門の予定配賦額は3,000円であった。

【使用できる勘定科目】

製品、仕掛品、製造間接費配賦差異、
切削部門費、組立部門費

A 34

部門費の予定配賦

借方		貸方	
(仕　掛　品)	3,600	(切削部門費)	600
		(組立部門費)	3,000

製造間接費の配賦▶仕掛品勘定への振り替え▶借方
▶切削部門費から振り替え▶貸方
▶組立部門費から振り替え▶貸方

ポイント

貸方について選択肢に各製造部門に関する勘定科目がない場合、製造間接費勘定とします。

本試験演習編

いよいよ、本試験レベルの問題（第1問～第3問、第4問(1)）に挑戦です。
基本仕訳編で養った知識をフル活用して、解き進めましょう！

Q1

仕訳問題

第1問対策

チェック

下記の各取引について仕訳しなさい。ただし、勘定科目は、設問ごとに最も適当と思われるものを選び、記号で解答すること。

1. 米国のA社より商品200ドルを仕入れ、代金を掛けとした。同時に取引銀行との間で1ドルあたり¥105の為替予約（ドル買いの予約）を行った。なお、当日の直物為替相場は1ドルあたり¥100であったが、外貨建取引の換算には先物為替相場（予約レート）を付すことにした。

   ア．仕入　イ．為替差損益　ウ．現金　エ．買掛金　オ．未払金
   カ．支払手形　キ．当座預金

2. 建設中の建物の完成に伴い、工事代金の残額¥800,000を小切手を振り出して支払い、建物の引き渡しを受けた。なお、同建物については、工事代金としてすでに¥1,200,000を支払っている。

   ア．建物　イ．前払金　ウ．現金　エ．建設仮勘定　オ．当座預金
   カ．仕掛品　キ．固定資産圧縮損

3. 群馬株式会社は、商品（原価¥160,000、売価¥200,000）を掛けで販売した。なお、当社は商品を仕入れたとき商品勘定に記入し、販売したつど売上原価を売上原価勘定に振り替える方法で記帳している。

   ア．売上原価　イ．仕入　ウ．売掛金　エ．仕掛品　オ．買掛金
   カ．商品　キ．売上

4. 春日部商事株式会社では、当期首において、営業用店舗に火災が発生し、建物（取得原価¥450,000、減価償却累計額¥150,000）が焼失した。ただし、この建物には保険会社と火災保険契約¥300,000を結んでいたため、ただちに保険金の支払いを請求するとともに、未決算勘定で処理していたところ、本日、保険会社より査定の結果、¥250,000の保険金を月末に支払う旨の連絡があった。

   ア．未決算　イ．保険差益　ウ．火災損失　エ．未収入金
   オ．現金　カ．建物　キ．減価償却累計額

5. S社は、当期にP社（S社の発行済議決権株式の80%を所有し支配している）に対して商品を販売し、P社はこのうち¥10,000の商品を当期末に所有している。なお、S社のP社に対する売上総利益率は20%である。当期の連結財務諸表作成に必要な連結修正仕訳を示しなさい。

   ア．売上高　イ．非支配株主持分
   ウ．非支配株主に帰属する当期純利益　エ．売掛金
   オ．繰越利益剰余金　カ．売上原価　キ．商品　ク．買掛金

	借方科目	金　額	貸方科目	金　額
1	(ア)仕　入	21,000	(エ)買　掛　金	21,000*1
2	(ア)建　物	2,000,000 貸方合計	(オ)当座預金 (エ)建設仮勘定	800,000 1,200,000
3	(ウ)売　掛　金 (ア)売上原価	200,000 160,000	(キ)売　上 (カ)商　品	200,000 160,000
4	(エ)未収入金 (ウ)火災損失	250,000 50,000 貸借差額	(ア)未　決　算	300,000
5	(カ)売上原価 (イ)非支配株主持分	2,000*2 400*3	(キ)商　品 (ウ)非支配株主に帰属する当期純利益	2,000 400

＊1　買掛金：200ドル×105円（FR）＝21,000円

＊2　売上原価：10,000円×20%＝2,000円

＊3　非支配株主持分：2,000円×（100%－80%）＝400円

ポイント

1. 外貨建取引の換算は取引時の直物為替レートで換算することが原則ですが、**営業取引**について**取引と同時に為替予約**を行う場合には、外貨建営業取引を**先物為替相場（予約レート：FR）**で換算することができます。
（基本Q196）

2. 建物の完成前の支払額は**建設仮勘定（資産）**で処理しているため、建物の完成（引渡）時にはこれを**建物（資産）に振り替え**ます。
（基本Q58）

3. 販売のつど売上原価勘定に振り替える方法（売上原価対立法）において、商品を販売した場合には、売価で売上（収益）を貸方に記入するとともに、その**販売した商品の仕入原価を売上原価として、商品（資産）から売上原価（費用）に振り替え**ます。
（基本Q6）

4. 火災が生じたとき、

（減価償却累計額）　150,000　（建　　物）　450,000
（未　決　算）　300,000

と処理（間接法を前提）しているため、保険金額が確定したときには、**未決算を減らす**（貸方に記入する）とともに、確定した保険金額（月末に受け取る）を**未収入金（資産）**で処理します。なお、未決算と保険金額との差額（借方）は**火災損失（費用）**で処理します。
（基本Q62）

5. 子会社から親会社へ販売し未実現利益の全額を消去する場合は、非支配株主にも負担させます。
（基本Q212）

Q2 仕訳問題

第１問対策

チェック

下記の各取引について仕訳しなさい。ただし、勘定科目は、設問ごとに最も適当と思われるものを選び、記号で解答すること。

1.　東日本株式会社は、北海道株式会社に対する売掛金¥20,000のうち、半額を¥9,000で売却し、代金は当座預金口座へ振り込まれた。
　ア．現金　イ．債権売却損　ウ．手形売却損　エ．支払手形
　オ．当座預金　カ．売上　キ．売掛金

2.　×１年12月１日にリース会社と機械のリース契約を締結した。このリース取引はオペレーティング・リース取引と判定され、契約期間３年で毎年11月末日に¥36,000のリース料を後払いする条件となっている。×２年３月31日、決算にあたり、当期の経過期間に対応する支払リース料を未払計上した。
　ア．支払リース料　イ．現金　ウ．未払リース料　エ．リース負債
　オ．減価償却費　カ．支払利息　キ．リース資産

3.　事業規模拡大のため、株式200株を１株あたり¥10,000で発行した。払込金額は全額当座預金に振り込まれ、払込金額の２分の１は資本金として計上しないこととした。なお、株式発行のための諸費用¥3,000は現金で支払った。
　ア．資本金　イ．現金　ウ．その他資本剰余金
　エ．株式申込証拠金　オ．当座預金　カ．資本準備金
　キ．株式交付費　ク．利益準備金

4.　渋谷株式会社は、得意先池袋株式会社に対する売掛金¥100,000について、同社の承諾を得た後に、電子記録債権の発生記録を行っていたが、この電子記録債権のうち¥20,000分を新橋株式会社に¥18,000で売却し、譲渡記録を行うとともに、売却代金は現金で受け取った。
　ア．電子記録債権　イ．売掛金　ウ．電子記録債務　エ．当座預金
　オ．電子記録債権売却損　カ．受取手形　キ．現金

5.　建物¥20,000,000を購入し、代金は３か月ごとに¥2,160,000（元本部分¥2,000,000、利息部分¥160,000）を10回にわたり支払うこととした。なお、当社は有形固定資産を割賦購入した際に、支払総額を債務計上する方式で記帳している。
　ア．支払利息　イ．建物　ウ．未払利息　エ．長期未払金
　オ．現金　カ．当座預金　キ．長期前払利息

	借方科目	金　額	貸方科目	金　額
1	(オ)当座預金 (イ)債権売却損	9,000 1,000 *2	(キ)売掛金	10,000 *1
2	(ア)支払リース料	12,000	(ウ)未払リース料	12,000 *3
3	(オ)当座預金 (キ)株式交付費	2,000,000 *4 3,000	(ア)資本金 (カ)資本準備金 (イ)現金	1,000,000 *5 1,000,000 *5 3,000
4	(キ)現金 (オ)電子記録債権売却損	18,000 2,000	(ア)電子記録債権	20,000
5	(イ)建物 (キ)長期前払利息	20,000,000 1,600,000 *7	(エ)長期未払金	21,600,000 *6

＊1　売掛金：20,000円÷２＝10,000円

＊2　債権売却損：10,000円－9,000円（売却額）＝1,000円

＊3　未払リース料：36,000円×$\frac{4か月（×1年12月1日〜×2年3月31日）}{12か月}$＝12,000円

＊4　@10,000円×200株＝2,000,000円

＊5　2,000,000円×$\frac{1}{2}$＝1,000,000円

＊6　支払総額：2,160,000円×10回（返済回数）＝21,600,000円

＊7　利息相当額：160,000円（利息部分）×10回（返済回数）＝1,600,000円

ポイント

1. 売掛金（資産）は、相手から支払いを受ける前に第三者へ売却することができます。売却する売掛金については貸方に計上し、売却額との貸借差額は**債権売却損（費用）**を使って処理します。　基本Q33
2. オペレーティング・リース取引は通常の賃貸借取引であるため、「リース資産」および「リース債務」の計上は行いません。本問ではリース料の支払いが後払いであるため、当期の経過期間である４か月分のリース料を未払計上します。　基本Q75
3. 払込金額のうち資本金としなかった額は**資本準備金（株式払込剰余金）**で処理します。なお、株式発行のための諸費用は**株式交付費**で処理します。　基本Q113、Q129
4. かねて借方に処理されていた電子記録債権（資産）については、支払期日までに譲渡記録を行うことで、売却による現金化を行うことができます。電子記録債権の売却額が帳簿価額より低い場合には、貸借差額を**電子記録債権売却損（費用）**として処理します。　基本Q24
5. 本問では、「支払総額を債務計上する方式で記帳している」とあるので、支払総額を長期未払金として貸方に計上し、利息に相当する金額を長期前払利息として計上します。　基本Q50

Q3 仕訳問題

第1問対策

チェック

下記の各取引について仕訳しなさい。ただし、勘定科目は、設問ごとに最も適当と思われるものを選び、記号で解答すること。

1. 函館商事株式会社は、従業員に給料を支払った際に控除していた源泉所得税¥170,000および社会保険料¥30,000について、社会保険料の会社負担分¥30,000とあわせて¥230,000を現金で納付した。
   ア．現金　イ．給料　ウ．法定福利費　エ．所得税預り金
   オ．当座預金　カ．社会保険料預り金　キ．従業員預り金
2. 夕張株式会社（年1回、3月末決算）は、×8年6月30日に備品を¥400,000で売却し、代金は翌月末日に受け取ることとした。この備品は×6年8月1日に購入（購入代価¥580,000、付随費用¥20,000）した固定資産であり、残存価額は取得原価の10%、耐用年数は8年、償却方法は定額法、記帳方法は直接法によっている。なお、当期分の減価償却費も月割計算によりあわせて計上すること。
   ア．未収入金　イ．固定資産売却益　ウ．備品
   エ．備品減価償却累計額　オ．当座預金　カ．減価償却費
   キ．固定資産売却損
3. かねてより受け取っていた国庫補助金¥500,000と自己資金¥1,500,000により、建物¥2,000,000を取得し、代金は月末に支払うことにした。なお、この建物については補助金に相当する額の圧縮記帳（直接減額方式）を行った。
   ア．現金　イ．国庫補助金受贈益　ウ．別途積立金　エ．未払金
   オ．固定資産圧縮損　カ．当座預金　キ．建物
4. 株主総会の決議により、繰越利益剰余金¥430,000のうち¥300,000を配当金¥200,000、新築積立金¥100,000として処分することを決定した。なお、利益準備金は会社法規定の額を計上した。ただし、剰余金処分時のこの会社の資本金は¥1,000,000、資本準備金と利益準備金の合計額は¥150,000である。
   ア．資本準備金　イ．繰越利益剰余金　ウ．新築積立金
   エ．利益準備金　オ．受取配当金　カ．未払配当金　キ．資本金
5. 当社は×2年3月31日において、決算につき、その他有価証券について必要な決算整理仕訳を実施した。なお、当社が保有するその他有価証券の取得原価（期末簿価）は¥510,000であり、期末時価は¥524,000であった。その他有価証券の評価差額の会計処理方法は、全部純資産直入法を適用している。
   ア．その他有価証券　イ．その他有価証券評価差額金
   ウ．有価証券評価損益　エ．有価証券利息
   オ．投資有価証券売却益　カ．現金　キ．繰越利益剰余金

	借方科目	金　額	貸方科目	金　額
1	(エ)所得税預り金 (カ)社会保険料預り金 (ウ)法定福利費	170,000 30,000 30,000 会社負担分の社会保険料	(ア)現　金	230,000
2	(カ)減価償却費 (ア)未収入金 (キ)固定資産売却損	16,875 *1 400,000 70,625 貸借差額	(ウ)備　品	487,500 *2 前期末の帳簿価額
3	(キ)建　物 (オ)固定資産圧縮損	2,000,000 500,000	(エ)未払金 (キ)建　物	2,000,000 500,000
4	(イ)繰越利益剰余金	320,000 貸方合計	(カ)未払配当金 (ウ)新築積立金 (エ)利益準備金	200,000 100,000 20,000 *3
5	(ア)その他有価証券	14,000	(イ)その他有価証券評価差額金	14,000 *4

＊1　取得原価：580,000円＋20,000円＝600,000円

当期減価償却費：600,000円×0.9×$\frac{3か月(×8年4/1～×8年6/30)}{8年×12か月}$＝16,875円

＊2　取得日から前期末までの減価償却累計額：

600,000円×0.9×$\frac{20か月(×6年8/1～×8年3/31)}{8年×12か月}$＝112,500円

前期末の帳簿価額：600,000円－112,500円＝487,500円

＊3　①1,000,000円×$\frac{1}{4}$＝250,000円 ←積立限度額

②250,000円－150,000円＝100,000円 ←あと100,000円まで積立可能

③200,000円×$\frac{1}{10}$＝20,000円 ←計算上、積み立てるべき金額、②>③→20,000円

＊4　524,000円－510,000円＝14,000円

ポイント

1. 給与支払時に控除した源泉所得税を**所得税預り金（負債）**、社会保険料を**社会保険料預り金（負債）**で処理しているため、納付時にはこれを減らします。また、会社負担分の社会保険料は**法定福利費（費用）**で処理します。 基本Q126
2. 直接法なので、備品の帳簿価額（取得原価－減価償却累計額）を減少させます。また、当期分（×8年4月1日～6月30日）の減価償却費を計上します。 基本Q46
3. 直接減額方式による圧縮記帳は、補助金相当額500,000円を**固定資産圧縮損（費用）**として計上し、**建物の取得原価を減額**します。建物は本試験の解答形式にしたがい指示がある場合には相殺します。 基本Q65
4. 配当金の10分の1を資本準備金と利益準備金の合計額が資本金の4分の1に達するまで準備金として積み立てます。 基本Q144、Q145
5. 「全部純資産直入法」において、「評価差額」の合計が評価差益の場合には、**その他有価証券評価差額金（純資産）**の増加として貸方に処理するとともに、その他有価証券（資産）の増加として借方に計上します。 基本Q93

第1問
対策

チェック

Q4 仕訳問題

下記の各取引について仕訳しなさい。ただし、勘定科目は、設問ごとに最も適当と思われるものを選び、記号で解答すること。

1. 売掛金の期末残高には期中に生じた外貨建売掛金1,000ドルがある。本日決算日となったため、決算整理仕訳を行った。なお、取引時の為替相場は1ドルあたり¥100、決算日の為替相場は1ドルあたり¥105である。

   ア．売掛金　イ．現金　ウ．当座預金　エ．受取手形
   オ．為替差損益　カ．債権売却損　キ．未収入金

2. コンサート企画を行っている当社は、かねてコンサートのチケットとして1,000枚（@¥5,000）を売り出し、そのうち950枚の申し込みがあり、代金を受け取っていた。また、コンサート会場についての諸経費¥2,660,000について小切手を振り出して支払い、出演者に対しては出演料として¥300,000を現金で支払っていた。本日、このコンサートが無事に実施されたため、必要な会計処理を行う。

   ア．売上　イ．前受金　ウ．役務原価　エ．仕掛品　オ．売上原価
   カ．役務収益　キ．商品

3. 第1期の決算において、貸倒引当金の損金不算入額¥50,000、減価償却費の損金不算入額¥60,000が生じている。なお、法定実効税率40％として、税効果会計を適用する。

   ア．法人税等調整額　イ．租税公課　ウ．仮払法人税等
   エ．未払法人税等　オ．法人税、住民税及び事業税
   カ．繰延税金資産　キ．繰延税金負債

4. 当社（会計期間4月1日から3月31日の1年間）は、当期首に向こう6か月分の保険料として¥60,000を現金で支払い、保険料¥60,000を計上していた。ここで、内部報告目的として月次損益計算を行うために、4月末において、その未経過分について前払計上した。

   ア．保険差益　イ．前払保険料　ウ．当座預金
   エ．社会保険料預り金　オ．保険料　カ．法定福利費　キ．現金

5. 鎌倉株式会社は×8年6月21日に額面総額¥1,000,000の社債（利率は年7.3％、利払日は9月末と3月末）を@¥100につき@¥98.5で売却し、代金は端数利息とともに当座預金に振り込まれた。なお、この社債は×8年3月31日に@¥98で売買目的で取得したものである。端数利息は売却日までの日割りで計算する。また、記帳方法は分記法で処理する。

   ア．受取配当金　イ．当座預金　ウ．受取利息
   エ．売買目的有価証券　オ．有価証券売却益　カ．現金
   キ．有価証券利息

	借方科目	金　額	貸方科目	金　額
1	(ア)売掛金	5,000	(オ)為替差損益	5,000 *1
2	(イ)前受金 (ウ)役務原価	4,750,000 2,960,000 *3	(カ)役務収益 (エ)仕掛品	4,750,000 *2 2,960,000
3	(カ)繰延税金資産	44,000 *4	(ア)法人税等調整額	44,000
4	(イ)前払保険料	50,000	(オ)保険料	50,000 *5
5	(イ)当座預金	1,001,400 *8	(エ)売買目的有価証券 (キ)有価証券利息 (オ)有価証券売却益	980,000 *6 16,400 *7 5,000 貸借差額

＊1　為替差損益：1,000ドル×（105円/ドル(CR)－100円/ドル(HR)）＝5,000円（収益）

＊2　@5,000円×950枚＝4,750,000円

＊3　2,660,000円＋300,000円＝2,960,000円

＊4　（50,000円＋60,000円）×40％＝44,000円

＊5　60,000円×$\frac{5か月}{6か月}$＝50,000円

＊6　売却口数：$\frac{1,000,000円}{@100円}$＝10,000口

売却社債の帳簿価額：@98円×10,000口＝980,000円

＊7　1,000,000円×7.3％×$\frac{82日(×8年4/1～×8年6/21)}{365日}$＝16,400円

＊8　入金額：@98.5円×10,000口＋16,400円＝1,001,400円

ポイント

1.　取引発生日の為替相場（HR）で計上されている売掛金を、決算日の為替相場（CR）に換算替えし、差額を**為替差損益**として計上します。 基本Q195

2.　サービス提供が完了していない段階で計上されていた前受金を**役務収益（収益）**に振り替えるとともに、いったん仕掛品としていた諸経費の支払額などについて**役務原価（費用）**に振り替えます。 基本Q170

3.　減価償却費と貸倒引当金の損金不算入が生じているため、将来減算一時差異が発生しています。そこで、**繰延税金資産（資産）**を計上し、相手科目を**法人税等調整額**とします。 基本Q177、Q179

4.　4月1日に向こう6か月分の保険料を支払っていますが、このうち5か月分は翌月以降の保険料となるので、月次決算では、この5か月分を**前払保険料（資産）**として処理しておき、翌月以降の月次決算で、毎月1か月分を**保険料（費用）**として費用処理します。 基本Q163

5.　前回の利払日の翌日（4/1）から売却日（6/21）までの端数利息は**有価証券利息**で処理します。 基本Q88

第1問
対策

チェック

Q5 仕訳問題

下記の各取引について仕訳しなさい。ただし、勘定科目は、設問ごとに最も適当と思われるものを選び、記号で解答すること。なお、各問は独立しており消費税は問題文に指示があるもののみ考慮すること。

1. 本日決算につき、仮払消費税¥50,000と仮受消費税¥30,000を相殺し、納付額を確定する。
   ア．仮受消費税　イ．現金　ウ．未払消費税　エ．未収還付消費税
   オ．当座預金　カ．未払金　キ．仮払消費税
2. 決算につき、売掛金の期末残高¥250,000に対して、貸倒実績率法により期末残高の2％について貸倒引当金を設定する。なお、決算整理前残高試算表の貸倒引当金は¥7,000であり、差額補充法により貸倒引当金を設定する。
   ア．売掛金　イ．受取手形　ウ．貸倒引当金繰入
   エ．貸倒引当金戻入　オ．貸倒引当金　カ．貸倒損失　キ．売上
3. 新製品開発のために特別の仕様に改造した機械装置の購入代金¥2,500,000を小切手を振り出して支払った。また、新製品開発のための人件費¥1,200,000、および外部研究機関に委託していた新製品の研究のための委託費用¥500,000について現金で支払った。
   ア．研究開発費　イ．機械装置　ウ．減価償却費　エ．現金
   オ．当座預金　カ．給料　キ．未払金
4. 当期の決算において、税引前当期純利益を¥500,000計上した。ただし、減価償却費の損金不算入額が¥100,000、貸倒引当金の損金不算入額が¥50,000あった。当期の法人税等の法定実効税率を40％として、未払法人税等を計上する。
   ア．法人税、住民税及び事業税　イ．繰延税金資産
   ウ．法人税等調整額　エ．未払法人税等　オ．現金
   カ．繰延税金負債　キ．租税公課
5. 掛川株式会社は3回に分けて売買目的で取得していた上場株式1,000株のうち200株を@¥500で売却し、代金は4日後に受け取ることにした。第1回目（500株 @¥480）、第2回目（300株 @¥490）は前期中に取得したものであり、前期末に@¥495で評価替えされ、当期首に取得価額に振り戻しておく方法（洗替法）により処理されている。第3回目（200株 @¥510）は当期中に取得したものである。なお、株式の払出単価の計算は移動平均法によっている。また、記帳方法は分記法による。
   ア．有価証券評価損益　イ．現金　ウ．売買目的有価証券
   エ．有価証券売却益　オ．その他有価証券　カ．未収入金
   キ．その他有価証券評価差額金

A5

	借方科目	金　額	貸方科目	金　額
1	(ア)仮受消費税 (エ)未収還付消費税	30,000 20,000 貸借差額	(キ)仮払消費税	50,000
2	(オ)貸倒引当金	2,000	(エ)貸倒引当金戻入	2,000 *1
3	(ア)研究開発費	4,200,000 貸方合計	(オ)当座預金 (エ)現　　金	2,500,000 1,700,000 *2
4	(ア)法人税、住民税及び事業税	260,000 *3	(エ)未払法人税等	260,000
5	(カ)未収入金	100,000 *4	(ウ)売買目的有価証券 (エ)有価証券売却益	97,800 *5 2,200 貸借差額

＊1　貸倒見積額：250,000円×２％＝5,000円
　　　貸倒引当金戻入：7,000円－5,000円＝2,000円

＊2　1,200,000円＋500,000円＝1,700,000円

＊3　課税所得：500,000円（税引前当期純利益）＋100,000円（減価償却費の損金不算入額）＋50,000円（貸倒引当金の損金不算入額）＝650,000円
　　　法人税、住民税及び事業税：650,000円×40％＝260,000円

＊4　@500円×200株＝100,000円

＊5　払出単価：$\frac{@480円×500株＋@490円×300株＋@510円×200株}{1,000株}$＝@489円
　　　売却株式の帳簿価額：@489円×200株＝97,800円

ポイント

1. 仮受消費税（負債）の金額よりも仮払消費税（資産）の金額のほうが大きい場合、消費税の還付を受けるため、仮受消費税と仮払消費税の差額を**未収還付消費税（資産）**で処理します。 基本Q137
2. 貸倒見積額（当期末に設定すべき貸倒引当金）よりも、貸倒引当金の決算整理前残高の方が大きい場合には、貸倒引当金の戻入となります。 基本Q100
3. 新製品などの研究および開発に関する費用を研究開発費といいます。自社で行う研究開発にともなう人件費、原材料費、建物の減価償却費など、他社に研究開発を委託した場合の委託費などがこれに該当します。これらについては、発生時に**研究開発費（費用）**として借方に計上します。また、本問の機械装置は特別仕様で他の目的に転用できないと考えられるため、取得時に支払った額を研究開発費とします。 基本Q125
4. 税引前当期純利益の額に、損金不算入の額を加算調整し、課税所得を求めます。課税所得に当期の法人税等の法定実効税率をかけて、当期の法人税、住民税及び事業税の額を算定します。 基本Q133
5. 洗替法は決算において時価に評価替えしたあと、翌期首に取得原価に振り戻す方法です。したがって、売却時の帳簿価額＝取得原価となっているため、1,000株の取得原価合計額から１株あたりの払出単価を計算し、これに売却株式数（200株）を掛けて売却した株式の帳簿価額を計算します。 基本Q77

Q1 第2問対策 チェック

支配獲得日の連結（投資と資本の相殺）

P社は、×1年3月31日にS社株式の60％を￥3,000で取得し、支配を獲得した。次の資料にもとづき、連結×1年度（×1年4月1日から×2年3月31日）における投資と資本の相殺消去に関する連結修正仕訳を示しなさい。

【資　料】

株主資本等変動計算書

自×1年4月1日　至×2年3月31日　　（単位：円）

	株主資本					
	資本金		資本剰余金		利益剰余金	
	P社	S社	P社	S社	P社	S社
当期首残高	3,000	1,850	2,000	1,150	2,500	1,500
：						

連結株主資本等変動計算書

自×1年4月1日　至×2年3月31日　　（単位：円）

	株主資本			非支配株主持分
	資本金	資本剰余金	利益剰余金	
当期首残高	（　　）	（　　）	（　　）	（　　）
：				

借方	金額	貸方	金額
(資本金当期首残高)	1,850	(子会社株式)	3,000
(資本剰余金当期首残高)	1,150	(非支配株主持分当期首残高)	1,800*1
(利益剰余金当期首残高)	1,500		
(のれん)	300*2		

＊1　(資本金当期首残高1,850円＋資本剰余金当期首残高1,150円＋利益剰余金当期首残高1,500円) ×40%＝1,800円

＊2　貸借差額

連結株主資本等変動計算書

自×1年4月1日　至×2年3月31日　(単位：円)

	株主資本			非支配株主持分
	資本金	資本剰余金	利益剰余金	
当期首残高	(3,000)	(2,000)	(2,500)	(1,800)
:				

ポイント

投資と資本の相殺消去を「開始仕訳」として行います。このとき、消去すべき「支配獲得日におけるS社の資本」は、株主資本等変動計算書の当期首残高に引き継がれているため、連結修正仕訳におけるS社の資本項目は「○○当期首残高」とします。

基本Q205

Q2 支配獲得後1年目　子会社配当金の修正等

第2問対策

チェック

P社は、×1年3月31日にS社株式の60%を¥3,000で取得し、支配を獲得した。次の資料にもとづき、連結×1年度（×1年4月1日から×2年3月31日）における必要な連結修正仕訳を示しなさい。

【資　料】

株主資本等変動計算書

自×1年4月1日　至×2年3月31日　　（単位：円）

	株主資本					
	資本金		資本剰余金		利益剰余金	
	P社	S社	P社	S社	P社	S社
当期首残高	××	××	××	××	××	××
剰余金の配当					△1,000	△800
当期純利益					1,500	850
：						

連結株主資本等変動計算書

自×1年4月1日　至×2年3月31日　　（単位：円）

	株主資本			非支配株主持分
	資本金	資本剰余金	利益剰余金	
当期首残高	××	××	××	××
剰余金の配当			△(　　)	
親会社株主に帰属する当期純利益			(　　)	
株主資本以外の項目の当期変動額（純額）				(　　)
：				

(受取配当金)	480 *1	(剰余金の配当)	800
(非支配株主持分当期変動額)	320 *2		
(非支配株主に帰属する当期純損益)	340 *3	(非支配株主持分当期変動額)	340

＊1　800円×60%＝480円
　S社配当金　P社持分

＊2　800円－480円＝320円

＊3　850円×40%＝340円
　S社当期純利益　非支配株主持分

連結株主資本等変動計算書

自×1年4月1日　至×2年3月31日　　(単位：円)

	株主資本			非支配株主持分
	資本金	資本剰余金	利益剰余金	
当期首残高	××	××	××	××
剰余金の配当			△(1,000)	
親会社株主に帰属する当期純利益			(1,530) *1	
株主資本以外の項目の当期変動額（純額）				(20) *2
：				

＊1　1,500円 － 480円 ＋ 850円 － 340円 ＝ 1,530円
　P社当期純利益　受取配当金　S社当期純利益　非支配株主に帰属する当期純損益

＊2　340円－320円＝20円

基本Q207、Q208

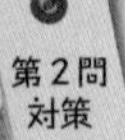

Q3 支配獲得後２年目　未実現損益の消去

第２問対策

チェック

P社は、×１年３月31日にS社株式の60％を取得し、支配を獲得した。次の資料にもとづき、×２年度（×２年４月１日から×３年３月31日）において必要な連結修正仕訳を示しなさい。

【資　料】

1．×１年度よりP社はS社に対して商品を販売しており、×２年度におけるS社に対する売上高は2,000円である。

2．S社の個別財務諸表における商品の期末残高には、P社から仕入れた商品が含まれている。なお、P社のS社に対する売上総利益率は20％である。

　×１年度末：300円　×２年度末：350円

3．P社の個別財務諸表には、S社に対する売掛金が計上されている。また、P社は売掛金に対して毎期４％の貸倒引当金を計上している。

　×１年度末：750円　×２年度末：600円

Q4 支配獲得後２年目　未実現損益の実現（有形固定資産の売買）

第２問対策

チェック

次の資料にもとづき、×３年度（×３年４月１日から×４年３月31日）において必要な連結修正仕訳を示しなさい。

【資　料】

1．P社は、×２年３月31日にS社株式の80％を取得し、支配を獲得した。

2．×３年８月31日において、P社はS社に土地（売却時点での帳簿価額1,200円）を2,000円で売却した。

3．P社は、土地の代金を×４年４月30日に受け取ることとした。

4．S社は当該土地を×４年３月31日時点で保有している。

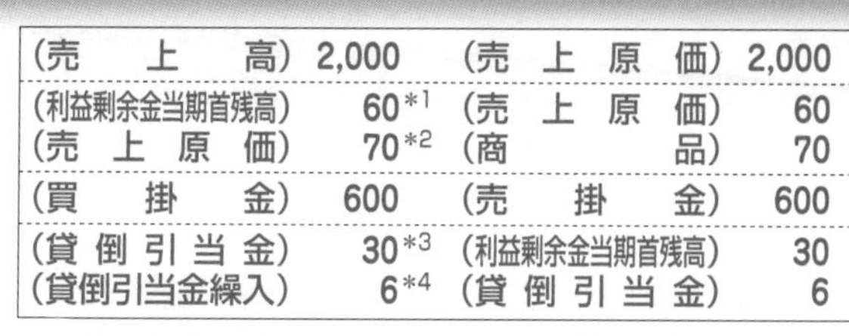

借方	金額	貸方	金額
(売　上　高)	2,000	(売 上 原 価)	2,000
(利益剰余金当期首残高)	60*1	(売 上 原 価)	60
(売 上 原 価)	70*2	(商　　品)	70
(買　掛　金)	600	(売　掛　金)	600
(貸 倒 引 当 金)	30*3	(利益剰余金当期首残高)	30
(貸倒引当金繰入)	6*4	(貸 倒 引 当 金)	6

＊1　300円×20％＝60円（×１年度の期末商品に含まれる未実現利益）

＊2　350円×20％＝70円（×２年度の期末商品に含まれる未実現利益）

＊3　750円×４％＝30円（×１年度に計上された貸倒引当金のうち子会社に対する部分）

＊4　(750円－600円)×４％＝6円

第2問対策

ポイント

連結の支配獲得後２年目以降においては、商品売買等の未実現損益について、前期末に計上した**未実現損益の実現仕訳**を行います。
なお、実現仕訳は以下の仕訳が合算されたものです。

借方	金額	貸方	金額
(利益剰余金当期首残高)	60	(商　　品)	60
(商　　品)	60	(売 上 原 価)	60

借方	金額	貸方	金額
(土 地 売 却 益)	800*	(土　　地)	800
(未　払　金)	2,000	(未 収 入 金)	2,000

＊1　2,000円 － 1,200円＝800円（売却益）
売却価額　帳簿価額

第2問対策

ポイント

親会社が子会社に資産を売却した場合は、**未実現である売却損益の相殺消去**をします。また、代金を後日受け取ることとした場合は、各社の個別貸借対照表に計上されている**未収入金勘定**と**未払金勘定**を相殺消去します。

Q1 決算整理仕訳　当座預金の修正

第3問対策

チェック

次の精算表（一部）と資料にもとづき、必要な仕訳（決算整理仕訳等）を示しなさい（当期：×1年4月1日～×2年3月31日）。

精算表（一部）

勘定科目	試算表		修正記入		損益計算書		貸借対照表	
	借方	貸方	借方	貸方	借方	貸方	借方	貸方
当座預金	4,900							

【資　料】

当座預金について銀行勘定調整表を作成したところ、次の事実が判明した。

①売掛金の振り込みのうち未記帳分　¥870

②買掛金支払いのために振り出した小切手のうち未取付分　¥960

③広告費支払いのために振り出した小切手のうち未渡分　¥700

④支払手形の決済の未記帳分　¥1,080

Q2 決算整理仕訳　当座預金の修正

第3問対策

チェック

次の残高試算表(一部)と資料にもとづき、必要な仕訳(決算整理仕訳等)を示しなさい(当期：×1年4月1日～×2年3月31日)。

残高試算表

×2年3月31日

借　方	金額	貸　方	金額
当座預金	4,900		

貸借対照表

×2年3月31日

当座預金　(　　　)	

【資　料】

当座預金について銀行勘定調整表を作成したところ、次の事実が判明した。

①銀行の営業時間外の入金が¥1,200あった。

②未払金の決済のために振り出した小切手¥3,000が銀行に未呈示であった。

③受取手数料¥780の当座預金口座への振り込みが当社に未達であった。

A1

①（当座預金）　870　（売掛金）　870
②　仕訳なし
③（当座預金）　700　（未払金）　700
④（支払手形）　1,080　（当座預金）　1,080

精算表（一部）

勘定科目	試算表		修正記入		損益計算書		貸借対照表	
	借方	貸方	借方	貸方	借方	貸方	借方	貸方
当座預金	4,900	＋	870	1,080			5,390	
			700	−				

ポイント

企業側の修正が必要なのは、**未記帳（連絡未達）**、**未渡小切手**、**誤記入**の場合です。

基本Q10〜Q15

A2

①　仕訳なし
②　仕訳なし
③（当座預金）　780　（受取手数料）　780

②当社が振り出した小切手を取引先が銀行に持ち込んでいない（未取付）だけで、当社の処理は正しく行われているため、修正仕訳は不要。

貸借対照表
×2年3月31日

当座預金（ 5,680*）	

＊ 4,900円＋780円＝5,680円

基本Q10〜Q15

Q3 決算整理仕訳　貸倒引当金の設定

第３問対策

チェック

次の精算表（一部）と資料にもとづき、必要な仕訳（決算整理仕訳等）を示しなさい（当期：×１年４月１日～×２年３月31日）。

精算表（一部）

勘定科目	試算表		修正記入		損益計算書		貸借対照表	
	借方	貸方	借方	貸方	借方	貸方	借方	貸方
当座預金	4,600							
受取手形	5,400							
売掛金	5,200							
貸倒引当金		80						
貸倒引当金(　　)								

【資　料】

①売掛金の当座振り込みのうち未記帳分が¥600ある。

②受取手形および売掛金の期末残高に対して２％の貸倒引当金を設定する（差額補充法）。

Q4 決算整理仕訳　貸倒引当金の設定

第３問対策

チェック

次の残高試算表(一部)と資料にもとづき、必要な仕訳(決算整理仕訳等)を示しなさい(当期：×１年４月１日～×２年３月31日)。

残高試算表

借　方	勘定科目	貸　方
6,000	受取手形	
8,900	売掛金	
	貸倒引当金	100

【資　料】

①売掛金¥900（当期に発生）が貸し倒れたが未処理であった。

②受取手形および売掛金の期末残高に対して２％の貸倒引当金を設定する（差額補充法）。

損益計算書

：

Ⅲ．販売費及び一般管理費

　1．貸倒引当金繰入　（　　　）

　2．(　　　　　　)　（　　　）

第3問対策

①(当 座 預 金)	600	(売　掛　金)	600
②(貸倒引当金繰入)	120 *	(貸 倒 引 当 金)	120

＊　(5,400円＋5,200円－600円) × 2％＝200円
貸倒引当金残高（80円）が200円になるように120円（200円－80円）を増加させる。

精算表（一部）

勘定科目	試算表		修正記入		損益計算書		貸借対照表	
	借方	貸方	借方	貸方	借方	貸方	借方	貸方
当座預金	4,600		600				5,200	
受取手形	5,400						5,400	
売掛金	5,200			600			4,600	
貸倒引当金		80		120				200
貸倒引当金(繰入)			120		120			

ポイント

貸倒引当金の貸借対照表価額が200円となるように修正仕訳を行います。
貸倒引当金（　　）の**借方**に金額が記入されるので、（　　）には**繰入**と記入します。

基本Q95

A4

第3問対策

①(貸 倒 損 失)	900	(売　掛　金)	900
②(貸倒引当金繰入)	180 *	(貸 倒 引 当 金)	180

＊　(6,000円＋8,900円－900円) × 2％＝280円
貸倒引当金残高（100円）が280円になるように180円（280円－100円）を増加させる。

損益計算書

：

Ⅲ. 販売費及び一般管理費
　1. 貸倒引当金繰入 (　180)
　2.(貸　倒　損　失) (　900)

ポイント

当期に発生した債権が貸し倒れたときは、全額**貸倒損失（費用）**で処理します。

基本Q95、Q98

Q5 決算整理仕訳　貸倒引当金の設定（個別評価＋一括評価）

第3問対策

チェック

次の残高試算表（一部）と資料にもとづき、必要な仕訳（決算整理仕訳等）を示しなさい（当期：×1年4月1日～×2年3月31日）。

残高試算表

借方	勘定科目	貸方
100,000	受取手形	
250,000	売掛金	
	貸倒引当金	4,500

【資　料】

・受取手形の全額および売掛金￥200,000に対して、実績率法により期末残高の２％について貸倒引当金を設定する。なお、上記の売掛金のほかに、甲社に対する売掛金￥50,000は、貸倒れの危険性が高いため、個別に期末残高の50％を貸倒引当金として設定する。

損益計算書

：

Ⅲ．販売費及び一般管理費

1.（　　　　　　）（　　　）

Q6 決算整理仕訳　売上原価の算定

第3問対策

チェック

次の精算表（一部）と資料にもとづき、必要な仕訳（決算整理仕訳等）を示しなさい（当期：×1年4月1日～×2年3月31日）。

精算表（一部）

勘定科目	試算表		修正記入		損益計算書		貸借対照表	
	借方	貸方	借方	貸方	借方	貸方	借方	貸方
繰越商品	4,200							
仕入	114,000							
棚卸減耗損								
商品評価損								

【資　料】

・期末商品棚卸高は以下のとおりである。なお、売上原価は仕入の行で計算するが、棚卸減耗損と商品評価損は精算表上は独立の科目として表示する。

帳簿棚卸高　数量20個　原価@￥200

実地棚卸高　数量18個　時価@￥190

(貸倒引当金繰入) 26,500*	(貸倒引当金) 26,500

* 受取手形・甲社以外に対する売掛金：(100,000円＋200,000円)×２％＝6,000円
甲社売掛金：50,000円×50％＝25,000円
貸倒見積額合計：6,000円＋25,000円＝31,000円
貸倒引当金繰入：31,000円－4,500円＝26,500円

損益計算書
：
Ⅲ．販売費及び一般管理費
　1.（貸倒引当金繰入）（ 26,500）

基本Q96

(仕　　　入) 4,200	(繰 越 商 品) 4,200
(繰 越 商 品) 4,000 *1	(仕　　　入) 4,000
(棚 卸 減 耗 損) 400 *2	(繰 越 商 品) 400
(商 品 評 価 損) 180 *3	(繰 越 商 品) 180

＊1　@200円×20個＝4,000円

精算表（一部）

勘定科目	試算表		修正記入		損益計算書		貸借対照表	
	借方	貸方	借方	貸方	借方	貸方	借方	貸方
繰越商品	4,200		4,000	4,200			3,420	
				400				
				180				
仕入	114,000		4,200	4,000	114,200			
棚卸減耗損			400		400			
商品評価損			180		180			

商　品

原価@200円
時価@190円

商品評価損：180円＊3 (@200円－@190円)×18個	棚卸減耗損： 400円＊2 @200円× (20個－18個)
B/S商品：3,420円 @190円×18個	

実地18個　　帳簿20個

基本Q4

Q7 決算整理仕訳　売上原価の算定

第3問対策

チェック

次の残高試算表(一部)と資料にもとづき、必要な仕訳(決算整理仕訳等)を示しなさい(当期：×1年4月1日～×2年3月31日)。

残高試算表

借　方	勘定科目	貸　方
1,600	繰 越 商 品	
	売　　　上	90,000
40,000	仕　　　入	

【資　料】

・期末商品棚卸高は以下のとおりである。棚卸減耗損は販売費及び一般管理費に計上する。

	数　量	単　価
帳簿棚卸高	15個	@¥100
実地棚卸高	12個	@¥ 90

損益計算書

Ⅰ. 売 上 高		(　　　)
Ⅱ. 売 上 原 価		
1. 期首商品棚卸高	(　　　)	
2. 当期商品仕入高	(　　　)	
合　　計	(　　　)	
3. 期末商品棚卸高	(　　　)	
差　　引	(　　　)	
4.(　　　　　)	(　　　)	(　　　)
売上総利益		(　　　)
Ⅲ. 販売費及び一般管理費		
1.(　　　　　)	(　　　)	

Q8 決算整理仕訳　売上原価の算定(売上原価対立法)

第3問対策

チェック

次の残高試算表（一部）と資料にもとづき、必要な仕訳（決算整理仕訳等）を示しなさい（当期：×1年4月1日～×2年3月31日）。

残高試算表

借　方	勘定科目	貸　方
1,500	商　　　品	
	：	
	売　　　上	60,000
40,100	売 上 原 価	

【資　料】

・期首商品棚卸高は¥1,600であった。なお、当社は商品売買について売上原価対立法を採用しており、商品販売のつど売上計上するとともに売上原価の振り替えを行っている。

損益計算書

Ⅰ. 売 上 高		(　　　)
Ⅱ. 売 上 原 価		
1. 期首商品棚卸高	(　　　)	
2. 当期商品仕入高	(　　　)	
合　　計	(　　　)	
3. 期末商品棚卸高	(　　　)	(　　　)
売上総利益		(　　　)

第3問対策

(仕　　　入)	1,600	(繰 越 商 品)	1,600
(繰 越 商 品)	1,500 *1	(仕　　　入)	1,500
(棚 卸 減 耗 損)	300 *2	(繰 越 商 品)	300
(商 品 評 価 損)	120 *3	(繰 越 商 品)	120
(仕　　　入)	120	(商 品 評 価 損)	120

＊1　@100円×15個＝1,500円　＊2　@100円×（15個－12個）＝300円
＊3　（@100円－@90円）×12個＝120円

損益計算書

Ⅰ．売　上　高		(90,000)
Ⅱ．売 上 原 価		
1．期首商品棚卸高	(1,600)	
2．当期商品仕入高	(40,000)	
合　計	(41,600)	
3．期末商品棚卸高	(1,500)	
差　引	(40,100)	
4.(商 品 評 価 損)	(＋ 120)	(40,220)
売上総利益		(49,780)
Ⅲ．販売費及び一般管理費		
1.(棚 卸 減 耗 損)	(300)	

基本Q4

A8

第3問対策

仕　訳　な　し*

＊　当社は「売上原価対立法」を採用しており、期末残高試算表の商品（資産）1,500円は期末商品棚卸高を示すので、売上高、売上原価および期末商品棚卸高の金額は、残高試算表にすべて明らかとなっているため、決算整理仕訳は不要である。

損益計算書

Ⅰ．売　上　高		(60,000)
Ⅱ．売 上 原 価		
1．期首商品棚卸高	(1,600)	
2．当期商品仕入高	(40,000*)	
合　計	(41,600)	
3．期末商品棚卸高	(1,500)	(40,100)
売上総利益		(19,900)

＊ 40,100円＋1,500円－1,600円＝40,000円

基本Q5、Q6

Q9 決算整理仕訳　売買目的有価証券の評価

第3問対策

チェック

次の精算表（一部）と資料にもとづき、必要な仕訳（決算整理仕訳等）を示しなさい（当期：×1年4月1日～×2年3月31日）。

精算表（一部）

勘定科目	試算表		修正記入		損益計算書		貸借対照表	
	借方	貸方	借方	貸方	借方	貸方	借方	貸方
売買目的有価証券	58,600							
：								
有価証券評価（　）								

【資　料】

・売買目的有価証券の内訳は次のとおりである。決算にあたって時価法により評価する。なお、記帳方法は分記法による。

銘　柄	帳簿価額	時　価
A社株式	@￥120　200株	@￥118
B社株式	@￥250　100株	@￥240
C社社債	@￥ 96　100口	@￥96.5

Q10 決算整理仕訳　売買目的有価証券の評価

第3問対策

チェック

次の残高試算表（一部）と資料にもとづき、必要な仕訳（決算整理仕訳等）を示しなさい（当期：×1年4月1日～×2年3月31日）。

残高試算表

借　方	勘定科目	貸　方
35,000	売買目的有価証券	

【資　料】

・売買目的有価証券の内訳は次のとおりである。決算にあたって時価法により評価する。なお、記帳方法は分記法による。

銘　柄	帳簿価額	時　価
A社株式	@￥200　100株	@￥210
B社株式	@￥150　100株	@￥146

損益計算書

：

Ⅳ．営業外収益
　1.（　　　　　）（　　　）
Ⅴ．営業外費用
　1.（　　　　　）（　　　）

貸借対照表

：

有 価 証 券（　　　　）

第3問対策

（有価証券評価損）1,350	（売買目的有価証券）1,350 *

*　A社株式：(@118円－@120円) ×200株＝△　400円
　　　　　　 時　価　　帳簿価額
　　B社株式：(@240円－@250円) ×100株＝△1,000円
　　　　　　 時　価　　帳簿価額
　　C社社債：(@96.5円－@ 96円) ×100□＝　　50円
　　　　　　 時　価　　帳簿価額　　　　　△1,350円

精算表（一部）

勘定科目	試算表		修正記入		損益計算書		貸借対照表	
	借方	貸方	借方	貸方	借方	貸方	借方	貸方
売買目的有価証券	58,600			1,350			57,250	
：								
有価証券評価(損)			1,350		1,350			

ポイント

複数の銘柄から生じた有価証券評価損益は相殺して純額を計上します。

（基本Q82、Q83）

A10

第3問対策

（売買目的有価証券）　600 *	（有価証券評価益）　600

*　A社株式：(@210円－@200円)×100株＝　1,000円
　　　　　　 時　価　　帳簿価額
　　B社株式：(@146円－@150円)×100株＝△　400円
　　　　　　 時　価　　帳簿価額　　　　　　600円

損益計算書

：

Ⅳ. 営業外収益
　1.（有価証券評価益）（　　600）
Ⅴ. 営業外費用
　1.（　　　　　）（　　　）

貸借対照表

：

有 価 証 券 （　35,600*）

*35,000円＋600円＝35,600円

ポイント

有価証券評価益は**営業外収益**、**有価証券評価損**は**営業外費用**に表示します。
また、貸借対照表上は**有価証券（流動資産）**として表示します。

（基本Q82、Q83）

Q11 決算整理仕訳　減価償却費の計算

第3問対策

チェック

次の精算表（一部）と（資料）にもとづき、必要な仕訳（決算整理仕訳等）を示しなさい（当期：×1年4月1日～×2年3月31日）。

精算表（一部）

勘定科目	試算表		修正記入		損益計算書		貸借対照表	
	借方	貸方	借方	貸方	借方	貸方	借方	貸方
建物	45,000							
備品	13,500							
建設仮勘定	10,000							
建物減価償却累計額		10,800						
備品減価償却累計額		8,600						
減価償却費								

【資　料】

①新築中だった店舗が完成し、2月1日に引き渡しを受けていたが、この取引が未記帳だった。残高試算表の建設仮勘定はすべて本工事に関するもので、全額前払いしている。

②固定資産の減価償却を以下のとおり行う。

建物：定額法；耐用年数30年　残存価額　取得原価の10%

備品：定率法；償却率20%

なお、新店舗については月割計算をすること。

Q12 決算整理仕訳　減価償却費の計算

第3問対策

チェック

次の残高試算表(一部)と資料にもとづき、必要な仕訳(決算整理仕訳等)を示しなさい(当期：×1年4月1日～×2年3月31日)。

残高試算表

借方	勘定科目	貸方
90,000	建物	
30,000	備品	
	建物減価償却累計額	32,400
	備品減価償却累計額	8,100

【資　料】

・固定資産の減価償却を以下のとおり行う。

建物：定額法；耐用年数30年
残存価額 取得原価の10%

備品：定率法；償却率20%

損益計算書

：

Ⅲ．販売費及び一般管理費

1.（　　　　）（　　　）

貸借対照表

：

建物（　　　）

減価償却累計額（　　　）

備品（　　　）

減価償却累計額（　　　）

A 11

第3問対策

①(建　　　物)	10,000	(建設仮勘定)	10,000
②(減価償却費)	2,380	(建物減価償却累計額)	1,400 *1
		(備品減価償却累計額)	980 *2

＊1　建物減価償却費(旧)：45,000円×0.9÷30年＝1,350円

　　建物減価償却費(新)：10,000円×0.9÷30年×$\frac{2か月}{12か月}$＝50円

　　合　　計：1,350円＋50円＝1,400円

＊2　備品減価償却費：(13,500円−8,600円)×20％＝980円

精算表（一部）

勘定科目	試算表		修正記入		損益計算書		貸借対照表	
	借方	貸方	借方	貸方	借方	貸方	借方	貸方
建　　物	45,000		10,000				55,000	
備　　品	13,500						13,500	
建設仮勘定	10,000			10,000				
建物減価償却累計額		10,800		1,400				12,200
備品減価償却累計額		8,600		980				9,580
減価償却費			2,380		2,380			

基本Q39～Q42、Q58

A 12

第3問対策

(減価償却費)	7,080	(建物減価償却累計額)	2,700 *1
		(備品減価償却累計額)	4,380 *2

＊1　90,000円×0.9÷30年＝2,700円

＊2　(30,000円−8,100円)×20％＝4,380円

損益計算書

：

Ⅲ．販売費及び一般管理費

　1.(減価償却費)　(　7,080)

貸借対照表

：

建　　物	(90,000)
減価償却累計額	(35,100*1)
備　　品	(30,000)
減価償却累計額	(12,480*2)

＊1　32,400円＋2,700円＝35,100円

＊2　8,100円＋4,380円＝12,480円

基本Q39～Q42

Q13 決算整理仕訳　ソフトウェアの償却

第3問対策

チェック

次の残高試算表（一部）と資料にもとづき、必要な仕訳（決算整理仕訳等）を示しなさい（当期：×1年4月1日～×2年3月31日）。

残高試算表

借　方	勘定科目	貸　方
100,000	ソフトウェア	

【資　料】

・残高試算表のソフトウェアは、すべて当期首に取得したものであり、利用可能期間は当期首から5年と見積られている。定額法により償却する。

損益計算書

：

Ⅲ．販売費及び一般管理費
　1.（　　　　　　）（　　　　　　）

Q14 決算整理仕訳　満期保有目的債券の評価

第3問対策

チェック

次の精算表（一部）と資料にもとづき、必要な仕訳（決算整理仕訳等）を示しなさい（当期：×3年4月1日～×4年3月31日）。

精算表（一部）

勘定科目	試算表		修正記入		損益計算書		貸借対照表	
	借方	貸方	借方	貸方	借方	貸方	借方	貸方
：								
満期保有目的債券	98,000							
：								
有価証券利息		1,800						

【資　料】

・満期保有目的債券は×1年4月1日に額面￥100,000のA社社債（満期日×7年3月31日）を@￥100につき@￥97で購入したものである。満期保有目的債券の評価は償却原価法（定額法）による。

(ソフトウェア償却)	20,000*	(ソフトウェア)	20,000

＊　100,000円×$\frac{1年}{5年}$＝20,000円

損益計算書

：

Ⅲ．販売費及び一般管理費

1.（ソフトウェア償却）（　　20,000）

基本Q124

A
14

(満期保有目的債券)	500*	(有価証券利息)	500

＊　購入口数：$\frac{100,000円}{@100円}$＝1,000口

取得原価：@97円×1,000口＝97,000円

金利調整差額：100,000円−97,000円＝3,000円

当期の償却額：3,000円÷6年＝500円

精算表（一部）

勘定科目	試算表		修正記入		損益計算書		貸借対照表	
	借方	貸方	借方	貸方	借方	貸方	借方	貸方
：								
満期保有目的債券	98,000	⊕	500				98,500	
：								
有価証券利息		1,800	⊕	500		2,300		

基本Q87

Q15 決算整理仕訳　満期保有目的債券の評価

第3問対策

チェック

次の残高試算表（一部）と資料にもとづき、必要な仕訳（決算整理仕訳等）を示しなさい（当期：×3年4月1日～×4年3月31日）。

残高試算表

借　方	勘定科目	貸　方
	：	
194,000	満期保有目的債券	
	：	
	有価証券利息	3,000

損益計算書
：
Ⅳ. 営業外収益
1.（　　　　）（　　）

【資　料】

①満期保有目的で所有しているB社社債の期限到来済みの利札¥3,000が未記入であった。

②満期保有目的債券はB社が×2年4月1日に額面総額¥200,000、償還期間4年、利率年3％、利払い年2回（3月末日、9月末日）という条件で発行した社債を額面@¥100につき@¥96で取得したものである。満期保有目的債券の評価は償却原価法（定額法）による。

Q16 決算整理仕訳　子会社株式の評価

第3問対策

チェック

次の精算表（一部）と資料にもとづき、必要な仕訳（決算整理仕訳等）を示しなさい（当期：×1年4月1日～×2年3月31日）。

精算表（一部）

勘定科目	試算表		修正記入		損益計算書		貸借対照表	
	借方	貸方	借方	貸方	借方	貸方	借方	貸方
子会社株式	250,000							

【資　料】

・×2年3月31日現在における子会社株式の時価は¥235,000である。

A15　第3問対策

①（現　　　　金）	3,000	（有価証券利息）	3,000
②（満期保有目的債券）	2,000*	（有価証券利息）	2,000

*　購入口数：$\frac{200,000円}{@100円}$＝2,000口
取得原価：@96円×2,000口＝192,000円
金利調整差額：200,000円－192,000円＝8,000円
当期の償却額：8,000円÷４年＝2,000円

損益計算書
：
Ⅳ．営業外収益
1.（有価証券利息）（　8,000*）

*　3,000円＋3,000円＋2,000円＝8,000円

ポイント

期限到来済利札は現金で処理します。なお、満期保有目的債券は貸借対照表上、**投資有価証券（固定資産）**として表示します（あまり出題されないので貸借対照表は省略しています）。

基本Q85、Q87

A16　第3問対策

仕　訳　な　し*

*　子会社株式は、取得原価をもって貸借対照表価額とするため、決算において時価評価は不要。したがって、決算整理仕訳については「仕訳なし」となる。

精算表（一部）

勘定科目	試算表		修正記入		損益計算書		貸借対照表	
	借方	貸方	借方	貸方	借方	貸方	借方	貸方
子会社株式	250,000						250,000	

ポイント

決算整理仕訳が行われないため、精算表の修正記入欄への記入もなく、試算表欄の借方残高がそのまま貸借対照表欄の借方に移記されます。

基本Q91

Q17 決算整理仕訳　その他有価証券の評価

第3問対策

チェック

次の残高試算表（一部）と資料にもとづき、必要な仕訳（決算整理仕訳等）を示しなさい（当期：×1年4月1日～×2年3月31日）。

残高試算表

借　方	勘定科目	貸　方
200,000	その他有価証券	

【資　料】

①残高試算表のその他有価証券の内訳は下記のとおりである。

銘柄	市場価格	取得原価	期末時価
A社株式	有	¥125,000	¥132,000
B社株式	有	¥　75,000	¥　73,000

②当社はその他有価証券の評価差額の会計処理について、全部純資産直入法を採用している。なお、その他有価証券はすべて当期中に取得したものである。

貸借対照表

純　資　産　の　部

：

Ⅱ．評価・換算差額等

（　　　　　　　　　）　　　　（　　　　　）

Q18 決算整理仕訳　修繕引当金の設定

第3問対策

チェック

次の精算表（一部）と資料にもとづき、必要な仕訳（決算整理仕訳等）を示しなさい（当期：×2年4月1日～×3年3月31日）。

精算表（一部）

勘定科目	試算表		修正記入		損益計算書		貸借対照表	
	借方	貸方	借方	貸方	借方	貸方	借方	貸方
：								
修繕引当金		1,000						
：								
修繕引当金繰入								

【資　料】

・修繕引当金の当期繰入額は¥1,200である。

(その他有価証券) 5,000	(その他有価証券評価差額金) 5,000*

* その他有価証券評価差額金の算定

銘柄	取得原価		期末時価		評価差額
A社株式	125,000円	<	132,000円	⇒	7,000円（評価差益）
B社株式	75,000円	>	73,000円	⇒	2,000円（評価差損）
					5,000円（評価差益）

貸借対照表

純 資 産 の 部

：

Ⅱ．評価・換算差額等

（その他有価証券評価差額金）　　（　5,000）

ポイント

全部純資産直入法においては、「評価差額（評価差益および評価差損）」の合計額を貸借対照表の純資産の部（評価・換算差額等）に「その他有価証券評価差額金」として計上します。なお、**評価差額の合計額が評価差損であった場合には、金額の前に「△」を付してマイナス表示**します。

基本Q93

A18

(修繕引当金繰入) 1,200	(修 繕 引 当 金) 1,200

精算表（一部）

勘定科目	試算表		修正記入		損益計算書		貸借対照表	
	借方	貸方	借方	貸方	借方	貸方	借方	貸方
：								
修繕引当金		1,000	⊕	1,200	→			2,200
：								
修繕引当金繰入			1,200	→	1,200			

基本Q101

Q19 決算整理仕訳　退職給付引当金の設定

第3問対策

チェック

次の残高試算表(一部)と資料にもとづき、必要な仕訳(決算整理仕訳等)を示しなさい(当期：×1年4月1日～×2年3月31日)。

残高試算表

借　方	勘定科目	貸　方
	：	
	退職給付引当金	24,000
	：	

【資　料】

・退職給付引当金に当期負担分¥2,000を繰り入れる。

損益計算書

：

Ⅲ．販売費及び一般管理費

1.（　　　　　　）（　　　　）

貸借対照表

：

退職給付引当金（　　　　　）

Q20 決算整理仕訳　費用の前払いと収益の未収

第3問対策

チェック

次の精算表（一部）と資料にもとづき、必要な仕訳（決算整理仕訳等）を示しなさい（当期：×2年4月1日～×3年3月31日)。

精算表（一部）

勘定科目	試算表		修正記入		損益計算書		貸借対照表	
	借方	貸方	借方	貸方	借方	貸方	借方	貸方
長期貸付金	100,000							
保険料	3,000							
受取利息		1,750						
(　　)保険料								
(　　)利息								

【資　料】

①保険料は建物の火災保険料で、毎年同額を7月1日に向こう1年分を支払っている。

②長期貸付金は×1年11月1日に貸付期間5年、年利率3％、利払日年1回10月末日の条件で貸し付けたものである。決算にあたって利息の未収分を計上する。

(退職給付費用) 2,000	(退職給付引当金) 2,000

損益計算書

:

Ⅲ．販売費及び一般管理費
　1.（退職給付費用）（　2,000）

貸借対照表

:

退職給付引当金　（　26,000*）

＊　24,000円＋2,000円＝26,000円

ポイント

退職給付費用は損益計算書上、**販売費及び一般管理費**に、**退職給付引当金**は貸借対照表上、**固定負債**に表示します。　基本Q104

A 20
第3問対策

①（前払保険料）	600 *1	（保　険　料）	600
②（未収利息）	1,250 *2	（受取利息）	1,250

＊1　$3,000円 \times \dfrac{3か月（×3年4/1〜×3年6/30）}{15か月} = 600円$

＊2　$100,000円 \times 3\% \times \dfrac{5か月（×2年11/1〜×3年3/31）}{12か月} = 1,250円$

精算表（一部）

勘定科目	試算表		修正記入		損益計算書		貸借対照表	
	借方	貸方	借方	貸方	借方	貸方	借方	貸方
長期貸付金	100,000						100,000	
保険料	3,000		⊖	600	2,400			
受取利息		1,750	⊕	1,250		3,000		
（前払）保険料			600				600	
（未収）利息			1,250				1,250	

ポイント

残高試算表の保険料3,000円は前期に支払った×２年４月１日から６月30日までの３か月分と当期の７月１日に支払った12か月分の合計15か月分の金額です。

Q21 決算整理仕訳　費用の未払いと収益の前受け

第３問対策

チェック

次の残高試算表（一部）と資料にもとづき、必要な仕訳（決算整理仕訳等）を示しなさい（当期：×１年４月１日～×２年３月31日）。

残高試算表

借　方	勘定科目	貸　方
	長期借入金	200,000
	受取家賃	12,000
1,000	支払利息	

損益計算書

：

Ⅳ．営業外収益
　1.（　　　　）（　　）
Ⅴ．営業外費用
　1.（　　　　）（　　）

【資　料】

①長期借入金は×１年７月１日に借入期間４年、年利率２％、利払日年１回６月末日の条件で借り入れたものである。決算にあたって利息の未払分を計上する。

②受取家賃は×１年10月１日に建物を賃貸した際に向こう１年分の家賃を受け取ったものである。

Q22 決算整理仕訳　圧縮記帳（減価償却）

第３問対策

チェック

次の精算表（一部）と資料にもとづき、必要な仕訳（決算整理仕訳等）を示しなさい（当期：×１年４月１日～×２年３月31日）。

精算表（一部）

勘定科目	試算表		修正記入		損益計算書		貸借対照表	
	借方	貸方	借方	貸方	借方	貸方	借方	貸方
建物	50,000							
減価償却累計額		9,000						
仮受金		5,000						
減価償却費								
国庫補助金受贈益								
固定資産圧縮損								

【資　料】

①仮受金￥5,000は、建物を取得するため、国より受け取った補助金の受取額である。

②固定資産の減価償却は次の条件で行う。

　建物：定額法　耐用年数50年　残存価額　取得原価の10％

なお、建物のうち￥25,000は、当期の１月１日に取得したものである。この建物について、国から補助金￥5,000を受け取っており、補助金相当額について、圧縮記帳（直接減額方式）を行う。また、減価償却は耐用年数を50年、残存価額をゼロとして、当期分を月割計算により計上する。

A 21

第3問対策

①（支払利息）	3,000	（未払利息）	3,000 *1
②（受取家賃）	6,000	（前受家賃）	6,000 *2

＊1　200,000円×2％×$\frac{9か月(×1年7/1〜×2年3/31)}{12か月}$＝3,000円

＊2　12,000円×$\frac{6か月(×2年4/1〜×2年9/30)}{12か月}$＝6,000円

損益計算書

:

Ⅳ．営業外収益
　1．（受取家賃）（　6,000*1）
Ⅴ．営業外費用
　1．（支払利息）（　4,000*2）

＊1　12,000円－6,000円＝6,000円
＊2　1,000円＋3,000円＝4,000円

A 22

第3問対策

（仮受金）	5,000	（国庫補助金受贈益）	5,000
（固定資産圧縮損）	5,000	（建物）	5,000
（減価償却費）	550*	（減価償却累計額）	550

＊　減価償却費（旧建物）：（50,000円－25,000円）×0.9÷50年＝450円
（50,000円－25,000円）：旧建物取得原価

減価償却費（新建物）：（25,000円－5,000円）÷50年×$\frac{3か月}{12か月}$＝100円
5,000円：圧縮記帳

精算表（一部）

勘定科目	試算表		修正記入		損益計算書		貸借対照表	
	借方	貸方	借方	貸方	借方	貸方	借方	貸方
建物	50,000		⊖	5,000			45,000	
減価償却累計額		9,000	⊕	550				9,550
仮受金		5,000	5,000					
減価償却費			550		550			
国庫補助金受贈益				5,000		5,000		
固定資産圧縮損			5,000		5,000			

ポイント

減価償却費を算定する前に、仮受金と圧縮記帳の処理を行います。減価償却費は旧建物と新建物を別々に計算します。 基本Q64〜Q66

第3問
対策

チェック

Q23 決算整理仕訳　圧縮記帳(減価償却)

次の残高試算表（一部）と資料にもとづき、必要な仕訳（決算整理仕訳等）を示しなさい（当期：×1年4月1日～×2年3月31日）。

残高試算表

借　方	勘定科目	貸　方
137,000	建　　　物	
	減価償却累計額	45,000
	仮　受　金	7,000

【資　料】

①仮受金￥7,000は、建物を取得するため、国より受け取った補助金の受取額である。

②固定資産の減価償却は次の条件で行う。

建物：定額法　耐用年数30年　残存価額　取得原価の10％

なお、建物のうち￥37,000は、当期の10月1日に取得したものである。この建物について、国から補助金￥7,000を受け取っており、補助金相当額について、圧縮記帳（直接減額方式）を行うが未処理である。また、減価償却は耐用年数を30年、残存価額をゼロとして、当期分を月割計算により計上する。

損益計算書

：

Ⅲ．販売費及び一般管理費

1.（　　　　　）（　　　）

Ⅵ．特別利益

1.（　　　　　）（　　　）

Ⅶ．特別損失

1.（　　　　　）（　　　）

貸借対照表

資　産　の　部

：

1．　有形固定資産

（　　　　）（　　　　）

（　　　　）（　　　　）（　　　　）

(仮受金)	7,000	(国庫補助金受贈益)	7,000
(固定資産圧縮損)	7,000	(建物)	7,000
(減価償却費)	3,500*	(減価償却累計額)	3,500

* 減価償却費（旧建物）：(137,000円－37,000円)×0.9÷30年＝3,000円
（137,000円－37,000円：旧建物取得原価）

減価償却費（新建物）：(37,000円－7,000円)÷30年×$\frac{6か月}{12か月}$＝500円
（7,000円：圧縮記帳）

損益計算書

:

Ⅲ．販売費及び一般管理費
　1.（減価償却費）（ 3,500）
Ⅵ．特別利益
　1.（国庫補助金受贈益）（ 7,000）
Ⅶ．特別損失
　1.（固定資産圧縮損）（ 7,000）

貸借対照表

資産の部

:

1. 有形固定資産

(建物)	(130,000*1)	
(減価償却累計額)	(48,500*2)	(81,500)

*1 137,000円－7,000円＝130,000円
*2 45,000円＋3,500円＝48,500円

ポイント

国庫補助金受贈益は**特別利益**、**固定資産圧縮損**は**特別損失**に計上します。

基本Q64～Q66

Q24 決算整理仕訳　リース取引

第３問対策

チェック

次の精算表（一部）と資料にもとづき、必要な仕訳（決算整理仕訳等）を示しなさい（当期：×１年４月１日～×２年３月31日）。

精算表（一部）

勘定科目	試算表		修正記入		損益計算書		貸借対照表	
	借方	貸方	借方	貸方	借方	貸方	借方	貸方
現金預金	500,000							
リース資産	90,000							
リース債務		90,000						
リース資産減価償却累計額								
減価償却費								
支払利息								

【資　料】

①リース資産は当期首にリース契約したものであり、ファイナンス・リース取引と判定され、利子抜き法により処理する。リース期間は４年、リース料は毎年３月末に¥25,000を支払う約定である。なお、当期末に１回目のリース料を現金で支払ったが、未処理である。

②固定資産の減価償却は次の条件で行う。

リース資産：定額法　残存価額をゼロとして、リース期間により償却する。

A 24

第3問対策

(リース債務)	22,500*1	(現金預金)	25,000
(支払利息)	2,500*2		
(減価償却費)	22,500*3	(リース資産減価償却累計額)	22,500

＊1　リース債務：90,000円÷4年＝22,500円
（90,000円：リース債務）

＊2　支払利息：(25,000円×4年－90,000円)÷4年＝2,500円
（25,000円×4年：リース料総額）

＊3　減価償却費：90,000円÷4年＝22,500円
（4年：リース期間）

精算表（一部）

勘定科目	試算表		修正記入		損益計算書		貸借対照表	
	借方	貸方	借方	貸方	借方	貸方	借方	貸方
現金預金	500,000			25,000			475,000	
リース資産	90,000						90,000	
リース債務		90,000	22,500					67,500
リース資産減価償却累計額				22,500				22,500
減価償却費			22,500		22,500			
支払利息			2,500		2,500			

基本Q70、Q72

Q25 決算整理仕訳　リース取引

第3問対策

チェック

次の残高試算表（一部）と資料にもとづき、必要な仕訳（決算整理仕訳等）を示しなさい（当期：×1年4月1日～×2年3月31日）。

残高試算表

借　方	勘定科目	貸　方
200,000	現　金　預　金	
50,000	リ　ー　ス　資　産	
	リ　ー　ス　債　務	50,000

【資　料】

①リース資産は当期首にリース契約したものであり、ファイナンス・リース取引と判定され、利子抜き法により処理する。リース期間は5年、リース料は毎年3月末に¥12,000を支払う約定である。なお、当期末に1回目のリース料を現金で支払ったが、未処理である。

②固定資産の減価償却は次の条件で行う。
リース資産：定額法　残存価額をゼロとして、リース期間により償却する。

損益計算書

：

Ⅲ．販売費及び一般管理費
1.（　　　　　）（　　　）
Ⅳ．営業外費用
1.（　　　　　）（　　　）

貸借対照表

資産の部		負債の部	
Ⅰ　流動資産		Ⅰ　流動負債	
（　　　　　）	（　　　）	（　　　　　）	（　　　）
：		：	
Ⅱ　固定資産		Ⅱ　固定負債	
リース資産	（　　　）	（　　　　　）	（　　　）
減価償却累計額	（　　　）		

(リース債務)	10,000*1	(現金預金)	12,000
(支払利息)	2,000*2		
(減価償却費)	10,000*3	(リース資産減価償却累計額)	10,000

＊1　リース債務：50,000円÷5年＝10,000円
（50,000円：リース債務）

＊2　支払利息：(12,000円×5年−50,000円)÷5年＝2,000円
（12,000円×5年：リース料総額）

＊3　減価償却費：50,000円÷5年＝10,000円
（5年：リース期間）

損益計算書

：

Ⅲ．販売費及び一般管理費
　1.（減価償却費）（10,000）

Ⅳ．営業外費用
　1.（支払利息）（2,000）

貸借対照表

資産の部		負債の部	
Ⅰ　流動資産		Ⅰ　流動負債	
(現金預金)	(188,000*1)	(リース債務)	(10,000*2)
：		：	
Ⅱ　固定資産		Ⅱ　固定負債	
リース資産	(50,000)	(リース債務)	(30,000*3)
減価償却累計額	(10,000)		

＊1　200,000円−12,000円＝188,000円
＊2　次年度返済分
＊3　40,000円−10,000円＝30,000円

ポイント

リース債務のうち、**1年以内に支払う額は流動負債**に表示し、**それ以降に支払う額を固定負債**に表示します。

基本Q70、Q72

Q 26 決算整理仕訳　外貨換算会計

第３問対策

チェック

次の精算表（一部）と資料にもとづき、必要な仕訳（決算整理仕訳等）を示しなさい（当期：×１年４月１日〜×２年３月31日）。なお、決算日の為替相場は１ドル¥110である。

精算表（一部）

勘定科目	試算表		修正記入		損益計算書		貸借対照表	
	借方	貸方	借方	貸方	借方	貸方	借方	貸方
売　掛　金	50,000							
貸倒引当金		600						
為替差損益	300							
貸倒引当金繰入								

【資　料】

①売掛金には米国のＡ社に対する100ドルが含まれており、取引時の為替相場１ドルあたり¥100で換算している。

②売掛金の期末残高について、実績率法により２％の貸倒引当金を差額補充法により設定する。

(売　掛　金)	1,000	(為替差損益)	1,000*1
(貸倒引当金繰入)	420*2	(貸倒引当金)	420

＊1　為替差損益：100ドル×（110円－100円）＝1,000円（貸方）
　　　　　　　　　　　　　　CR　　HR

＊2　貸倒引当金設定額：（50,000円＋1,000円）×２％＝1,020円
　　貸倒引当金繰入：1,020円－600円＝420円
　　　　　　　　　　設定額　試算表

精算表（一部）

勘定科目	試算表		修正記入		損益計算書		貸借対照表	
	借方	貸方	借方	貸方	借方	貸方	借方	貸方
売掛金	50,000		1,000				51,000	
貸倒引当金		600		420				1,020
為替差損益	300			1,000		700		
貸倒引当金繰入			420		420			

基本Q195

Q27 決算整理仕訳　外貨換算会計

第３問対策

チェック

次の残高試算表（一部）と資料にもとづき、必要な仕訳（決算整理仕訳等）を示しなさい（当期：×１年４月１日～×２年３月31日）。なお、決算日の為替相場は１ドル¥105である。

残高試算表

借　方	勘定科目	貸　方
200,000	売　掛　金	
	貸倒引当金	3,000
	為替差損益	600

【資　料】

①売掛金には米国のＡ社に対する1,500ドルが含まれており、取引時の為替相場１ドルあたり¥110で換算している。

②売掛金の期末残高について、実績率法により２％の貸倒引当金を差額補充法により設定する。

損益計算書

：

Ⅲ．販売費及び一般管理費

　1.（　　　　　）（　　　）

Ⅴ．営業外費用

　1.（　　　　　）（　　　）

貸借対照表

資産の部

Ⅰ　流動資産

：

（　　　）（　　　）

（　　　）（　　　）（　　　）

A 27

第3問対策

(為替差損益)	7,500*1	(売掛金)	7,500
(貸倒引当金繰入)	850*2	(貸倒引当金)	850

＊1　為替差損益：1,500ドル×（105円－110円）＝△7,500円（借方）
　　　　　　　　　　　　　　　CR　　　HR

＊2　貸倒引当金設定額：(200,000円－7,500円）×２％＝3,850円
　　貸倒引当金繰入：3,850円－3,000円＝850円
　　　　　　　　　　設定額　　試算表

損益計算書

：

Ⅲ．販売費及び一般管理費
　1.（貸倒引当金繰入）（　850　）

Ⅴ．営業外費用
　1.（為替差損）（6,900*）

＊　7,500円－600円＝6,900円（借方残高＝差損）

貸借対照表

資産の部

Ⅰ　流動資産

：

(売掛金)	(192,500*1)	
(貸倒引当金)	(3,850*2)	(188,650)

＊1　200,000円－7,500円＝192,500円
＊2　3,000円＋850円＝3,850円

ポイント

為替差損益は、**営業外収益**または**営業外費用**に表示されます。

基本Q195

Q28 決算整理仕訳　税効果会計

第3問対策

チェック

次の残高試算表（一部）と資料にもとづき、必要な仕訳（決算整理仕訳等）を示しなさい（当期：×1年4月1日～×2年3月31日）。ただし、法定実効税率は40％とする。

残高試算表

借　方	勘定科目	貸　方
15,000	その他有価証券	
2,000	繰延税金資産	

【資　料】

・当期に購入したその他有価証券は次のとおりである。

	帳簿価額（取得原価）	当期末の市場価格
D社株式	¥15,000	¥16,000

・上記以外の当期の税効果会計上の一時差異は、次のとおりである。

	期　首	期　末
貸倒引当金損金不算入額	¥1,400	¥1,500
減価償却費償却限度超過額	¥3,600	¥4,500
合　計	¥5,000	¥6,000

損益計算書

：

（　　　　　　）（△　　　）

貸借対照表

資 産 の 部		純 資 産 の 部	
Ⅱ 固 定 資 産		Ⅱ 評価・換算差額等	
投資有価証券	（　　）	（　　　　）	（　　）
繰延税金資産	（　　）		

(その他有価証券)	1,000*1	(繰延税金負債)	400*2
		(その他有価証券評価差額金)	600*3
(繰延税金資産)	400	(法人税等調整額)	400*4

＊1　その他有価証券：16,000円（市場価格）－15,000円（帳簿価額）＝1,000円（評価益）

＊2　繰延税金負債：1,000円×40％＝400円

＊3　その他有価証券評価差額金：1,000円－400円＝600円

＊4　法人税等調整額：(6,000円（期末・一時差異合計）－5,000円（期首・一時差異合計）)×40％＝400円

損益計算書

：

(法人税等調整額)（ △400 ）

貸借対照表

資産の部		純資産の部	
Ⅱ 固定資産		Ⅱ 評価・換算差額等	
投資有価証券	(16,000)	(その他有価証券評価差額金)	(600)
繰延税金資産	(2,000*)		

＊　繰延税金資産2,400円－繰延税金負債400円＝2,000円(繰延税金資産と繰延税金負債は相殺して表示します。)

基本Q177、Q179、Q180

Q29 決算整理仕訳　当座借越の振り替え

第3問対策

チェック

次の精算表（一部）と資料にもとづき、必要な仕訳（決算整理仕訳等）を示しなさい（当期：×1年4月1日～×2年3月31日）。

精算表（一部）

勘定科目	試算表		修正記入		損益計算書		貸借対照表	
	借方	貸方	借方	貸方	借方	貸方	借方	貸方
当座預金		150						
（　　　）								

【資　料】

決算において、当座預金の貸方残高は¥150である。なお、全額が当座借越によるものであるため、借入金勘定に振り替える。

Q30 決算整理仕訳　当座借越の振り替え

第3問対策

チェック

次の残高試算表（一部）と資料にもとづき、必要な仕訳（決算整理仕訳等）を示しなさい（当期：×1年4月1日～×2年3月31日）。

残高試算表

借　方	勘定科目	貸　方
	当　座　預　金	150

【資　料】

決算において、当座預金の貸方残高は¥150である。なお、全額が当座借越によるものであるため、借入金勘定に振り替え、貸借対照表上は短期借入金として表示する。

貸借対照表

:

（　　　　　　）　（　　　　　）

A 29

(当　座　預　金)	150	(借　　入　　金)	150

精算表（一部）

勘定科目	試算表		修正記入		損益計算書		貸借対照表	
	借方	貸方	借方	貸方	借方	貸方	借方	貸方
当座預金		150	150					
(借入金)				150				150

ポイント

借入金勘定ではなく当座借越勘定で処理する場合もあります。 基本Q9

A 30

(当　座　預　金)	150	(借　　入　　金)	150

貸借対照表

:

(短　期　借　入　金)　(　150)

基本Q9

Q31 決算整理仕訳　貯蔵品勘定への振り替え

第3問対策

チェック □□□□□

次の精算表（一部）と資料にもとづき、必要な仕訳（決算整理仕訳等）を示しなさい（当期：×1年4月1日〜×2年3月31日）。

精算表（一部）

勘定科目	試算表		修正記入		損益計算書		貸借対照表	
	借方	貸方	借方	貸方	借方	貸方	借方	貸方
通　信　費	500							
租税公課	800							
貯　蔵　品								

【資　料】

決算において、未使用の郵便切手￥50と未使用の収入印紙￥200があったため、貯蔵品勘定へ振り替える。

Q32 本支店会計　貸倒引当金の設定

第3問対策

チェック □□□□□

次の残高試算表（一部）と資料にもとづき、本支店合併財務諸表を作成するにあたって必要な仕訳を示しなさい（当期：×2年4月1日〜×3年3月31日）。

残高試算表

借　方	本　店	支　店	貸　方	本　店	支　店
受取手形	9,750	1,800	貸倒引当金	120	80
売　掛　金	5,250	5,200	：		

【資　料】

決算整理事項

・本店および支店ともに売上債権に対して2％の貸倒引当金を設定する（差額補充法）。

本支店合併損益計算書

：

Ⅲ．販売費及び一般管理費

1．貸倒引当金繰入（　　）

本支店合併貸借対照表

：

受取手形（　　）

売　掛　金（　　）

貸倒引当金（　　）（　　）

第3問対策

(貯　蔵　品)	250	(通　信　費)	50
		(租　税　公　課)	200

精算表（一部）

勘定科目	試算表		修正記入		損益計算書		貸借対照表	
	借方	貸方	借方	貸方	借方	貸方	借方	貸方
通信費	500			50	450			
租税公課	800			200	600			
貯蔵品			250				250	

基本Q127

第3問対策

本　店 (貸倒引当金繰入)	180	(貸倒引当金)	180 *1
支　店 (貸倒引当金繰入)	60	(貸倒引当金)	60 *2

＊1　(9,750円＋5,250円)×2％＝300円
　　300円－120円＝180円

＊2　(1,800円＋5,200円)×2％＝140円
　　140円－80円＝60円

本支店合併損益計算書

：

Ⅲ．販売費及び一般管理費
　1．貸倒引当金繰入　(240 *)

＊　180円＋60円＝240円

本支店合併貸借対照表

：

受取手形　(11,550 *1)
売掛金　(10,450 *2)
貸倒引当金　(440 *3)　(21,560)

＊1　9,750円＋1,800円＝11,550円
＊2　5,250円＋5,200円＝10,450円
＊3　120円＋80円＋180円＋60円＝440円

Q33 本支店会計　減価償却費の計算

第3問対策

チェック □□□□□

次の残高試算表（一部）と資料にもとづき、本支店合併財務諸表を作成するにあたって必要な仕訳を示しなさい（当期：×2年4月1日～×3年3月31日）。

残高試算表

借　方	本　店	支　店	貸　方	本　店	支　店
備　　品	1,500	1,000	備品減価償却累計額	900	450

【資　料】

・決算整理事項

本店および支店ともに定率法（償却率20%）により備品の減価償却を行う。

本支店合併損益計算書

⋮

Ⅲ．販売費及び一般管理費

1．減価償却費（　　）

本支店合併貸借対照表

⋮

備　　品（　　）

減価償却累計額（　　）（　　）

Q34 本支店会計　費用の前払いと収益の前受け

第3問対策

チェック □□□□□

次の残高試算表（一部）と資料にもとづき、本支店合併財務諸表を作成するにあたって必要な仕訳を示しなさい（当期：×2年4月1日～×3年3月31日）。

残高試算表

借　方	本　店	支　店	貸　方	本　店	支　店
営　業　費	10,700	6,000	受取手数料	210	150

【資　料】

決算整理事項

・営業費の前払分が本店には¥1,800、支店には¥300ある。

・本店には手数料の前受分が¥40ある。

本支店合併損益計算書

⋮

Ⅲ．販売費及び一般管理費

1．営　業　費（　　）

Ⅳ．営業外収益

1．受取手数料（　　）

本支店合併貸借対照表

⋮	⋮
前払費用（　　）	前受収益（　　）

第3問対策

本　店	（減価償却費）	120 *1	（備品減価償却累計額）	120
支　店	（減価償却費）	110 *2	（備品減価償却累計額）	110

＊1　（1,500円－900円）×20％＝120円
＊2　（1,000円－450円）×20％＝110円

本支店合併損益計算書

⋮

Ⅲ．販売費及び一般管理費
　1．減価償却費（230 *）

＊　120円＋110円＝230円

本支店合併貸借対照表

⋮

備　品	（2,500 *1）	
減価償却累計額	（1,580 *2）	（　920）

＊1　1,500円＋1,000円＝2,500円
＊2　900円＋450円＋120円＋110円＝1,580円

第3問対策

本　店	（前払費用）	1,800	（営業費）	1,800
支　店	（前払費用）	300	（営業費）	300
本　店	（受取手数料）	40	（前受収益）	40

本支店合併損益計算書

⋮

Ⅲ．販売費及び一般管理費
　1．営業費（14,600 *1）
Ⅳ．営業外収益
　1．受取手数料（　320 *2）

＊1　10,700円＋6,000円
　　－（1,800円＋300円）
　　＝14,600円
＊2　210円＋150円－40円＝320円

本支店合併貸借対照表

⋮	⋮
前払費用（2,100 *）	前受収益（　40）

＊　1,800円＋300円＝2,100円

Q35 本支店会計　当期純利益の振り替え

第3問対策

チェック

次の残高試算表（一部）にもとづき、支店における決算振替仕訳を示しなさい。

残高試算表

借　方	本　店	支　店	貸　方	本　店	支　店
仕　　入	750	300	売　　上	2,500	1,000
営 業 費	300	200	⋮		
減価償却費	250	50	⋮		

借方科目	金額	貸方科目	金額
(売　　上)	1,000	(損　　益)	1,000
(損　　益)	550*1	(仕　　入)	300
		(営　業　費)	200
		(減価償却費)	50
(損　　益)	450*2	(本　　店)	450

＊1　300円＋200円＋50円＝550円

＊2　1,000円－550円＝450円（純利益）

ポイント

残高試算表に計上されている支店の収益・費用を**損益勘定**に振り替えて、支店の純損益を算定します。その後、支店の純損益は**損益勘定**から**本店勘定**に振り替えます。

Q36 決算整理仕訳　製造業会計

第3問対策

チェック

次の残高試算表（一部）と資料にもとづき、必要な仕訳（決算整理仕訳等）を示しなさい（当期：×1年4月1日～×2年3月31日）。

残高試算表

借　方	勘定科目	貸　方
3,200	製　　　品	
600	材　　　料	
1,000	仕　掛　品	

【資　料】
決算にあたり実地棚卸を行ったところ、材料実際有高は¥500、製品実際有高は¥3,000であった。なお、棚卸減耗は、材料・製品とも正常な理由で生じたものであり、製品の棚卸減耗については売上原価に賦課する。

貸借対照表

資 産 の 部
Ⅰ　流 動 資 産
　　：
（　　　　）（　　　　）
（　　　　）（　　　　）
（　　　　）（　　　　）

(棚 卸 減 耗 費)	100*1	(材　　　料)	100
(製 造 間 接 費)	100	(棚 卸 減 耗 費)	100
(売 上 原 価)	200*2	(製　　　品)	200

＊1　棚卸減耗(材料)：600円－500円＝100円

＊2　棚卸減耗(製品)：3,200円－3,000円＝200円

貸借対照表

資 産 の 部

Ⅰ　流 動 資 産

：

(製　　品)	(3,000*1)
(材　　料)	(500*2)
(仕 掛 品)	(1,000)

＊1　3,200円－200円＝3,000円
＊2　600円－100円＝500円

Q1 仕訳問題

第4問対策

チェック

下記の各取引について仕訳しなさい。ただし、勘定科目は、設問ごとに最も適当と思われるものを選び、記号で解答すること。

1．原料A100kgを980円/kgで掛けで購入し、当社負担の発送費500円を小切手を振り出して支払った。当社では実際単純個別原価計算を採用している。

ア．仕掛品　イ．製造間接費　ウ．買掛金　エ．現金
オ．材料　カ．製品　キ．当座預金

2．当社では実際単純個別原価計算を採用しており、当期の原料Aの実際払出総量は90kgであった（うち特定の指図書向けの消費量は80kgであった）。なお、原料費の計算には1,000円/kgの予定消費価格を用いている。

ア．材料　イ．仕掛品　ウ．製品　エ．現金
オ．製造間接費　カ．当座預金　キ．買掛金

3．当社では実際単純個別原価計算を採用しており、原料費の計算には予定消費価格を用いている。当期末において原料Aの消費価格差異を計上した。当月における原料費の予定消費額90,000円であった。また、原料Aの月初在庫は10kg（980円/kg）、当月仕入高は98,500円（受入数量100kg）、月末在庫は20kgであり、棚卸減耗はなかった。実際払出価格の計算は先入先出法によっている。

ア．製造間接費　イ．製品　ウ．仕掛品
エ．売上原価　オ．原価差異　カ．現金　キ．材料

	借方科目	金　額	貸方科目	金　額
1	(オ)材　　料	98,500 貸方合計	(ウ)買　掛　金 (キ)当座預金	98,000 *1 500
2	(イ)仕　掛　品 (オ)製造間接費	80,000 *2 10,000 *3	(ア)材　　料	90,000 借方合計
3	(キ)材　　料	1,400	(オ)原価差異	1,400 *4

＊1　@980円×100kg＝98,000円
＊2　@1,000円×80kg＝80,000円
＊3　@1,000円×（90kg－80kg）＝10,000円
＊4　月末有高：$\frac{98,500円}{100kg}$×20kg＝19,700円
実際消費額：@980円×10kg＋98,500円－19,700円＝88,600円
予定消費額：90,000円
消費価格差異：1,400円（貸方差異）

ポイント

1.　運送費などの材料副費は材料の購入価額に含めて処理します。

基本Q1

2.　特定の指図書向けに消費された分（直接材料費）は**仕掛品**、それ以外（間接材料費）は**製造間接費**で処理します。

基本Q8

3.　予定消費額（90,000円）よりも実際消費額（88,600円）が少ない（帳簿上、実際よりも多く消費されたことになっている）ので、材料の消費を取り消します（材料の増加として処理します）。

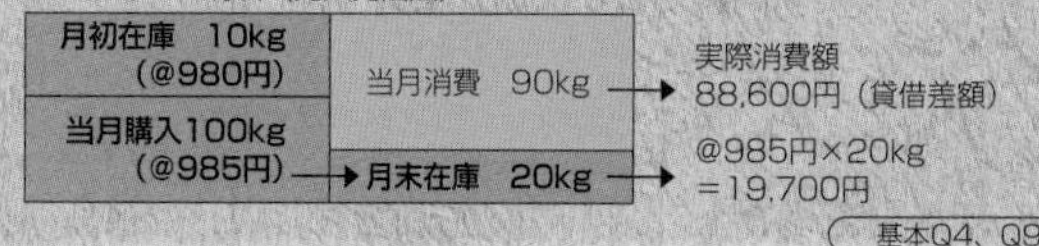

基本Q4、Q9

Q2 仕訳問題

第4問対策

チェック

下記の一連の取引について仕訳しなさい。ただし、勘定科目は、設問ごとに最も適当と思われるものを選び、記号で解答すること。

1．材料を掛けで購入した。材料の購入原価は300円であり、材料副費については購入代価の５％を予定配賦した。

ア．材料　イ．製品　ウ．材料副費　エ．買掛金
オ．未払金　カ．仕掛品

2．当月の材料副費の実際発生額35円を現金で支払った。

ア．未払金　イ．材料副費　ウ．材料　エ．現金
オ．材料副費差異　カ．買掛金

3．材料副費の予定配賦額と実際発生額の差額を材料副費差異勘定へ振り替えた。

ア.材料　イ.未払金　ウ.仕掛品　エ.買掛金
オ.材料副費　カ.材料副費差異

	借方科目	金　額	貸方科目	金　額
1	(ア)材　料	315 *2	(エ)買　掛　金 (ウ)材料副費	300 15 *1
2	(イ)材料副費	35	(エ)現　金	35
3	(カ)材料副費差異	20 *3	(オ)材料副費	20

＊1　300円×5％＝15円
＊2　貸方合計
＊3　15円（予定配賦額）－35円（実際発生額）＝△20円（借方差異）

ポイント

1.　材料副費の予定配賦額は材料の**購入原価**に含めます。　（基本Q5）
2.　材料副費の実際発生額は**材料副費勘定の借方**に記入します。　（基本Q6）
3.　材料副費の**予定配賦額と実際発生額の差額**を**材料副費差異**として処理します。　（基本Q7）

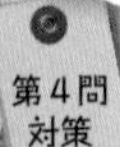

仕訳問題

第４問
対策

チェック

下記の各取引について仕訳しなさい。ただし、勘定科目は、設問ごとに最も適当と思われるものを選び、記号で解答すること。

1．当社では実際単純個別原価計算を採用しており、当月の直接工の実際直接作業時間は200時間、実際間接作業時間は100時間であった。なお、直接工賃金の計算には作業１時間あたり1,200円の予定消費賃率を用いている。

ア．賃金給料　イ．製品　ウ．原価差異　エ．仕掛品
オ．売上原価　カ．製造間接費　キ．当座預金

2．当社では実際単純個別原価計算を採用しており、直接工の賃率差異を計上した。ただし、直接工の予定消費額は360,000円である。また、前月未払額は2,000円、当月支払額は360,000円、当月未払額は5,000円であった。

ア．現金　イ．仕掛品　ウ．製造間接費　エ．製品
オ．当座預金　カ．賃金給料　キ．原価差異

3．製造指図書No,10の製品の製造のため、材料A40,000円を出庫し、外注先に加工を依頼した。なお、当工場では材料を外注のため、無償で支給しており、材料を外注先に引き渡すときに出庫の記録を行っている。

ア．製品　イ．製造間接費　ウ．現金　エ．材料
オ．売上原価　カ．仕掛品　キ．買掛金

	借方科目	金　額	貸方科目	金　額
1	(エ)仕　掛　品 (カ)製造間接費	240,000 *1 120,000 *2	(ア)賃金給料	360,000
2	(キ)原価差異	3,000 *3	(カ)賃金給料	3,000
3	(カ)仕　掛　品	40,000	(エ)材　　料	40,000

＊1　@1,200円×200時間＝240,000円
＊2　@1,200円×100時間＝120,000円
＊3　実際消費額：360,000円＋5,000円－2,000円＝363,000円　賃率差異：
予定消費額：360,000円　△3,000円（借方差異）

ポイント

1. 直接作業分（直接労務費）は**仕掛品**、間接作業分（間接労務費）は**製造間接費**で処理します。 （基本Q12）
2. 賃金の予定消費額（360,000円）よりも実際消費額（363,000円）が多い（帳簿上、実際よりも賃金の消費が少なく計上されている）ので、追加で賃金が消費されたと考えて処理します。 （基本Q13）
3. 材料を出庫しているため、**材料の減少**として処理します。また、特定の製造指図書のための出庫（直接材料費）なので、借方は**仕掛品**で処理します。 （基本Q8）

Q4 仕訳問題

第４問
対策

チェック

下記の各取引について仕訳しなさい。ただし、勘定科目は、設問ごとに最も適当と思われるものを選び、記号で解答すること。

1．材料A40,000円の加工を依頼していた外注先から加工品を受け入れた。請求書によると外注加工賃は8,000円であった。なお、当工場では材料を外注のため、無償で支給しており、材料を外注先に引き渡すときに出庫の記録を行っている。
　ア．仕掛品　イ．現金　ウ．未払金　エ．材料　オ．買掛金
　カ．製造間接費　キ．製品

2．材料倉庫の棚卸しを行い、材料の消耗2,800円が発見されたので棚卸減耗費を計上した。
　ア．現金　イ．製品　ウ．製造間接費　エ．仕掛品
　オ．買掛金　カ．材料　キ．売上原価

3．当月の機械減価償却費を計上した。機械減価償却費の年間見積額は120,000円である。
　ア．製造間接費　イ．売上原価　ウ．現金
　エ．機械減価償却累計額　オ．買掛金　カ．原価差異
　キ．当座預金

A4

	借方科目	金　額	貸方科目	金　額
1	(ア)仕　掛　品	8,000	(ウ)未　払　金	8,000
2	(ウ)製造間接費	2,800	(カ)材　　　料	2,800
3	(ア)製造間接費	10,000 *	(エ)機械減価償却累計額	10,000

＊　120,000円÷12か月＝10,000円

ポイント

1.　請求書を受け取っているだけで、支払いはまだされていないため、貸方は**未払金**で処理します。また、外注加工賃は直接経費なので、借方は**仕掛品**で処理します。
基本Q14

2.　棚卸減耗費は間接経費なので、借方は**製造間接費**で処理します。
基本Q10

3.　減価償却費は間接経費なので、借方は**製造間接費**で処理します。なお、年間見積額を12で割って、1か月分の減価償却費を計上します。
基本Q15

Q5 仕訳問題

第4問対策

チェック

下記の各取引について仕訳しなさい。ただし、勘定科目は、設問ごとに最も適当と思われるものを選び、記号で解答すること。

1．月末において、当月分の電力料8,000円を計上した。
　ア．仕掛品　イ．売上原価　ウ．当座預金　エ．買掛金
　オ．製造間接費　カ．未払電力料　キ．製品

2．本社が掛けで購入した材料700,000円を工場内にある材料倉庫に受け入れた。なお、材料の購入・支払いは本社が行っており、本社から工場への材料の振り替えには内部利益を付加していない。当社は本社会計から工場会計を独立させている。工場で行われる仕訳を示しなさい。
　ア．本社　イ．仕掛品　ウ．工場　エ．買掛金　オ．製品
　カ．材料　キ．現金

3．工場従業員に賃金600,000円、賞与手当50,000円が支給された。なお、従業員に対する給料の支払いは本社で行っており、当社は本社会計から工場会計を独立させている。工場で行われる仕訳を示しなさい。
　ア．製造間接費　イ．工場　ウ．製品　エ．売上原価
　オ．本社　カ．仕掛品　キ．賃金・給料

A 5

第4問対策

	借方科目	金　額	貸方科目	金　額
1	(オ)製造間接費	8,000	(カ)未払電力料	8,000
2	(カ)材　　　料	700,000	(ア)本　　　社	700,000
3	(キ)賃金・給料 (ア)製造間接費	600,000 50,000	(オ)本　　　社	650,000

ポイント

1. 電力料は間接経費なので、借方は**製造間接費**で処理します。

基本Q16

2. 工場は本社から材料を受け入れているので、**材料の増加**として処理します。また相手勘定は**本社**で処理します。
3. 賃金を支給しているので、**賃金・給料（費用）**で処理します。また、賞与手当（間接労務費）に該当する勘定科目が勘定科目一覧にないので、**製造間接費**で処理します。

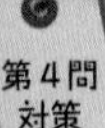

仕訳問題

第4問対策

チェック

下記の各取引について仕訳しなさい。ただし、勘定科目は、設問ごとに最も適当と思われるものを選び、記号で解答すること。

1．工場の設備減価償却費として80,000円を計上した。なお、当社は本社会計から工場会計を独立させている。工場の仕訳を示しなさい。

ア．仕掛品　イ．工場　ウ．本社　エ．製造間接費
オ．設備減価償却累計額　カ．製品　キ．買掛金

2．工場で材料680,000円（直接費600,000円、間接費80,000円）を消費した。なお、材料の購入・支払いは本社が行っており、本社から工場への材料の振り替えには内部利益を付加していない。当社は本社会計から工場会計を独立させている。工場の仕訳を示しなさい。

ア．材料　イ．本社　ウ．製品　エ．仕掛品　オ．買掛金
カ．工場　キ．製造間接費

3．工場で労働力620,000円（直接費400,000円、間接費220,000円）を消費した。なお、従業員に対する給料の支払いは本社で行っており、当社は本社会計から工場会計を独立させている。工場の仕訳を示しなさい。

ア．製品　イ．売上原価　ウ．賃金・給料　エ．仕掛品
オ．本社　カ．製造間接費　キ．工場

	借方科目	金　額	貸方科目	金　額
1	(エ)製造間接費	80,000	(オ)設備減価償却累計額	80,000
2	(エ)仕掛品 (キ)製造間接費	600,000 80,000	(ア)材料	680,000
3	(エ)仕掛品 (カ)製造間接費	400,000 220,000	(ウ)賃金・給料	620,000

ポイント

1. 設備減価償却費は間接経費なので、借方は**製造間接費**で処理します。
2. 直接材料費は**仕掛品**で、間接材料費は**製造間接費**で処理します。
3. 直接労務費は**仕掛品**で、間接労務費は**製造間接費**で処理します。

Q7 仕訳問題

第4問対策

チェック

下記の各取引について仕訳しなさい。ただし、勘定科目は、設問ごとに最も適当と思われるものを選び、記号で解答すること。

1．製造間接費を各製品に直接労務費の120％の割合で配賦した。なお、当期の直接労務費は400,000円であり、当社は本社会計から工場会計を独立させている。工場の仕訳を示しなさい。

ア．仕掛品　イ．工場　ウ．製造間接費　エ．製品
オ．売上原価　カ．本社　キ．買掛金

2．工場における当月の完成品は1,000,000円であった。なお、当社は本社会計から工場会計を独立させており、工場で製造された製品は一度工場の製品倉庫に保管される。工場の仕訳を示しなさい。

ア．本社　イ．製品　ウ．工場　エ．売上原価　オ．現金
カ．製造間接費　キ．仕掛品

3．工場は本社からの指示により、一度工場の製品倉庫に保管した当月完成品1,000,000円のうち7割を本社に納入した。ただし、完成品の単位原価は等しかったものとする。なお、当社は本社会計から工場会計を独立させている。工場の仕訳を示しなさい。

ア．製品　イ．工場　ウ．売掛金　エ．売上　オ．仕掛品
カ．売上原価　キ．本社

A 7

第4問対策

	借方科目	金　額	貸方科目	金　額
1	(ア)仕　掛　品	480,000 *1	(ウ)製造間接費	480,000
2	(イ)製　　品	1,000,000	(キ)仕　掛　品	1,000,000
3	(キ)本　　社	700,000	(ア)製　　品	700,000 *2

＊1　400,000円×120％＝480,000円
＊2　1,000,000円×70％＝700,000円

ポイント

1.　直接労務費（400,000円）の120％を**製造間接費勘定**から仕掛品勘定に振り替えます。
2.　製品の完成により**仕掛品**が減り、**製品**が増えます。
3.　本社に納入した分（完成品のうち７割）だけ工場の**製品**が減ります。なお、相手勘定は**本社**で処理します。

基本Q22～Q28

Q8 第4問対策

仕訳問題

チェック

当社では標準原価計算を採用しており、シングル・プランにより記帳している。下記の一連の取引について仕訳しなさい。ただし、勘定科目は、設問ごとに最も適当と思われるものを選び、記号で解答すること。

1．製品一個あたりの標準直接材料費は80円であり、当月投入量は50個であった。なお、直接材料費の実際発生額は4,500円であった。直接材料費の当月消費額を仕掛品に振り替える。

　ア．製品　イ．仕掛品　ウ．賃金　エ．買掛金
　オ．原価差異　カ．材料

2．製品一個あたりの標準直接労務費は60円であり、当月投入量は50個であった。なお、直接労務費の実際発生額は3,200円であった。直接労務費の当月消費額を仕掛品に振り替える。

　ア．製品　イ．仕掛品　ウ．賃金　エ．買掛金
　オ．原価差異　カ．材料

3．直接材料費と直接労務費の標準原価差異を原価差異勘定へ振り替える。

　ア．製品　イ．仕掛品　ウ．賃金　エ．買掛金
　オ．原価差異　カ．材料

	借方科目	金　額	貸方科目	金　額
1	(イ)仕　掛　品	4,000	(カ)材　　料	4,000 *1
2	(イ)仕　掛　品	3,000	(ウ)賃　　金	3,000 *2
3	(オ)原 価 差 異	700	(カ)材　　料	500 *3
			(ウ)賃　　金	200 *4

＊1　80円×50個＝4,000円

＊2　60円×50個＝3,000円

＊3　4,000円（予定配賦額）－4,500円（実際発生額）＝△500円（借方差異）

＊4　3,000円（予定配賦額）－3,200円（実際発生額）＝△200円（借方差異）

ポイント

1.　2.　標準原価計算の**シングル・プラン**を採用している場合は、各原価要素の**消費額は標準原価**で算定し、**仕掛品勘定**へ振り替えます。

基本Q29

3.　材料と賃金の**予定配賦額と実際発生額の差額**を**原価差異勘定**に振り替えます。

memo

究極の仕訳集　日商簿記２級　第８版

2014年３月30日　初　版　第１刷発行
2022年３月18日　第８版　第１刷発行
2024年３月12日　　　　　第４刷発行

編著者　ＴＡＣ株式会社
（簿記検定講座）
発行者　多田敏男
発行所　ＴＡＣ株式会社　出版事業部
（ＴＡＣ出版）

〒101-8383
東京都千代田区神田三崎町3-2-18
電話　03(5276)9492(営業)
FAX　03(5276)9674
https://shuppan.tac-school.co.jp

組　版　朝日メディアインターナショナル株式会社
印　刷　株式会社　光邦
製　本　東京美術紙工協業組合

ISBN 978-4-300-10024-0
N.D.C. 336

資格の学校 TAC

合格テキスト
合格テキスト 日商簿記3級
合格テキスト 日商簿記2級 工業簿記
合格テキスト 日商簿記2級 商業簿記
合格テキスト 日商簿記1級 工業簿記・原価計算 I
合格テキスト 日商簿記1級 商業簿記・会計学 I

合格トレーニング 日商簿記3級
合格トレーニング 日商簿記2級 工業簿記
合格トレーニング 日商簿記2級 商業簿記
合格トレーニング 日商簿記1級 工業簿記・原価計算 I
合格トレーニング 日商簿記1級 商業簿記・会計学 I
合格トレーニング

書籍のご購入は

1 全国の書店、大学生協、ネット書店で

2 TAC各校の書籍コーナーで

資格の学校TACの校舎は全国に展開!
校舎のご確認はホームページにて

資格の学校TAC ホームページ
https://www.tac-school.co.jp

3 TAC出版書籍販売サイトで

TAC 出版 で 検索

24時間
ご注文
受付中

https://bookstore.tac-school.co.jp/

新刊情報を
いち早くチェック!

たっぷり読める
立ち読み機能

学習お役立ちの
特設ページも充実!

TAC出版書籍販売サイト「サイバーブックストア」では、TAC出版および早稲田経営出版から刊行されている、すべての最新書籍をお取り扱いしています。
また、無料の会員登録をしていただくことで、会員様限定キャンペーンのほか、送料無料サービス、メールマガジン配信サービス、マイページのご利用など、うれしい特典がたくさん受けられます。

サイバーブックストア会員は、特典がいっぱい!(一部抜粋)

通常、1万円(税込)未満のご注文につきましては、送料・手数料として500円(全国一律・税込)頂戴しておりますが、1冊から無料となります。

専用の「マイページ」は、「購入履歴・配送状況の確認」のほか、「ほしいものリスト」や「マイフォルダ」など、便利な機能が満載です。

メールマガジンでは、キャンペーンやおすすめ書籍、新刊情報のほか、「電子ブック版TACNEWS(ダイジェスト版)」をお届けします。

書籍の発売を、販売開始当日にメールにてお知らせします。これなら買い忘れの心配もありません。

日商簿記検定試験対策書籍のご案内

TAC出版の日商簿記検定試験対策書籍は、学習の各段階に対応していますので、あなたのステップに応じて、合格に向けてご活用ください!

3タイプのインプット教材

1

簿記を専門的な知識にしていきたい方向け

● 満点合格を目指し
次の級への土台を築く

「合格テキスト」

「合格トレーニング」

● 大判のB5判、3級～1級累計300万部超の、信頼の定番テキスト&トレーニング! TACの教室でも使用している公式テキストです。3級のみオールカラー。

● 出題論点はすべて網羅しているので、簿記をきちんと学んでいきたい方にぴったりです!

◆3級 □2級 商簿、2級 工簿 ■1級 商・会 各3点、1級 工・原 各3点

2

スタンダードにメリハリつけて学びたい方向け

● 教室講義のような
わかりやすさでしっかり学べる

「簿記の教科書」

「簿記の問題集」

滝澤 ななみ 著

● A5判、4色オールカラーのテキスト(2級・3級のみ)&模擬試験つき問題集!

● 豊富な図解と実例つきのわかりやすい説明で、もうモヤモヤしない!!

◆3級 □2級 商簿、2級 工簿 ■1級 商・会 各3点、1級 工・原 各3点

3

気軽に始めて、早く全体像をつかみたい方向け

● 初学者でも楽しく続けられる!

「スッキリわかる」

テキスト/問題集一体型

滝澤 ななみ 著(1級は商・会のみ)

● 小型のA5判(4色オールカラー)によるテキスト/問題集一体型。これ一冊でOKの、圧倒的に人気の教材です。

● 豊富なイラストとわかりやすいレイアウト!かわいいキャラの「ゴエモン」と一緒に楽しく学べます。

◆3級 □2級 商簿、2級 工簿

■1級 商・会 4点、1級 工・原 4点

「スッキリうかる本試験予想問題集」

滝澤 ななみ 監修 TAC出版開発グループ 編著

● 本試験タイプの予想問題9回分を掲載

◆3級 □2級

書籍の正誤に関するご確認とお問合せについて

書籍の記載内容に誤りではないかと思われる箇所がございましたら、以下の手順にてご確認とお問合せをしてくださいますよう、お願い申し上げます。

なお、正誤のお問合せ以外の**書籍内容に関する解説および受験指導などは、一切行っておりません。**
そのようなお問合せにつきましては、お答えいたしかねますので、あらかじめご了承ください。

1 「Cyber Book Store」にて正誤表を確認する

TAC出版書籍販売サイト「Cyber Book Store」の
トップページ内「正誤表」コーナーにて、正誤表をご確認ください。

CYBER BOOK STORE TAC出版書籍販売サイト

URL:https://bookstore.tac-school.co.jp/

2 1の正誤表がない、あるいは正誤表に該当箇所の記載がない ⇒ 下記①、②のどちらかの方法で文書にて問合せをする

★ご注意ください★

お電話でのお問合せは、お受けいたしません。
①、②のどちらの方法でも、お問合せの際には、「お名前」とともに、
「対象の書籍名(○級・第○回対策も含む)およびその版数(第○版・○○年度版など)」
「お問合せ該当箇所の頁数と行数」
「誤りと思われる記載」
「正しいとお考えになる記載とその根拠」
を明記してください。
なお、回答までに1週間前後を要する場合もございます。あらかじめご了承ください。

① ウェブページ「Cyber Book Store」内の「お問合せフォーム」より問合せをする

【お問合せフォームアドレス】

https://bookstore.tac-school.co.jp/inquiry/

② メールにより問合せをする

【メール宛先　TAC出版】

syuppan-h@tac-school.co.jp

※土日祝日はお問合せ対応をおこなっておりません。
※正誤のお問合せ対応は、該当書籍の改訂版刊行月末日までといたします。

乱丁・落丁による交換は、該当書籍の改訂版刊行月末日までといたします。なお、書籍の在庫状況等により、お受けできない場合もございます。
また、各種本試験の実施の延期、中止を理由とした本書の返品はお受けいたしません。返金もいたしかねますので、あらかじめご了承くださいますようお願い申し上げます。

TACにおける個人情報の取り扱いについて
■お預かりした個人情報は、TAC(株)で管理させていただき、お問合せへの対応、当社の記録保管にのみ利用いたします。お客様の同意なしに業務委託先以外の第三者に開示、提供することはございません(法令等により開示を求められた場合を除く)。その他、個人情報保護管理者、お預かりした個人情報の開示等及びTAC(株)への個人情報の提供の任意性については、当社ホームページ(https://www.tac-school.co.jp)をご覧いただくか、個人情報に関するお問い合わせ窓口(E-mail:privacy@tac-school.co.jp)までお問合せください。

(2022年7月現在)